SCHOPENHAUER
Y NIETZSCHE

Georg Simmel

SCHOPENHAUER Y NIETZSCHE

Versión castellana de Francisco Ayala

CARONTE
FILOSOFÍA

Caronte Filosofía
dirigida por Carlos Torres

© Terramar Ediciones
Díaz Vélez 3780 5 D
terramarediciones@yahoo.com
C1200AAR / Buenos Aires
Argentina

Diseño: Cutral

ISBN: 987-20874-7-4

Índice

Biografía

Georg Simmel (1858-1918) nació en Berlín. Entre 1884 y 1898 fue *privat-dozent* en la Universidad de Berlín y de 1898 a 1914 fue profesor libre de la misma universidad. Pero debido a su ascendencia judía y sobre todo al estilo no sistemático de su pensamiento y a la amplitud de sus intereses intelectuales, no consigue ser nombrado profesor titular hasta cuatro años antes de su muerte en la Universidad de Estrasburgo.

La obra de Simmel empieza bajo el signo de la originalidad y de las tendencias contrapuestas que harán eclosión al final del siglo XX, por un lado la influencia de Kant y de sus conceptos *apriorísticos* que le permiten a Simmel tratar a las filosofías como series de pensamientos donde la contradicción no afecta ni a la verdad ni a la importancia del filósofo. Esta búsqueda de series de pensamientos volverá a la luz de la intelectualidad, bien que de otro modo, y sin recordar este paso de Simmel, con el estructuralismo. A la influencia de Kant se le opone el auge de la sociología; no habría que olvidar que Simmel fue amigo de Max Weber. Así, en su primer libro de 1890, *Sobre la diferenciación social*, dominan las concepciones pragmatistas y una interpretación casi acontecimental de la historia con un horizonte metafísico sólidamente anclado en conceptos kantianos. Posteriormente, la influencia de Dilthey y de Husserl da a su obra una mayor coherencia y solidez conceptual sin perder nada de su extraordinaria originalidad. Pero será con la incorporación del perspectivismo de Nietzsche y con la meditación acerca del vitalismo de Bergson que el pensamiento de Simmel alcanzará toda su altura filosófica. La vida como un constante devenir singular que se supera es la realidad fundamental y el centro de sus meditaciones. De la vida surgen como de la tierra fértil la cultura y el ser del hombre.

Incluso la multiplicidad que caracteriza el ser del hombre le viene dada por la vida. De la meditación acerca de la vida y el hombre surge en Simmel, hacia el final de su vida, el pensamiento sobre el acontecimiento contemporáneo que marca la vida y el ser del hombre: la técnica. Por ella el hombre se vuelve "el ser indirecto" y es la técnica la que transforma "la vida en un problema técnico".

Simmel pertenece sin duda al nudo que se desenlaza en el siglo XX; en él y a principios de siglo los conceptos de multiplicidad y de singularidad cobran un estatuto fundamental, como lo serán para el fin de siglo a partir de Foucault y Deleuze. Y si no, leamos con atención la siguiente frase de Simmel que parece sacada de la *Lógica del sentido* de Deleuze: "Aunque cada pensador haga acordar radicalmente la sinfonía del mundo en el tono que le es propio y aunque lo haga con la mayor pasión, de pronto se oyen tonos que provienen de otra dirección distinta y que se mezclan en la sinfonía". Otra de las características que nos hacen contemporáneo a Simmel, y que lo marginaron de su tiempo, es el modo privilegiado del que se sirve para dar a conocer su pensamiento: el ensayo. El ensayo le permite a Simmel mostrar tanto su originalidad como la diversidad de sus intereses. Simmel es, por todo ello, un pensador contemporáneo que puede ser definido como él mismo definió al filósofo: "Sin duda la naturaleza del filósofo consiste en que, entre las múltiples corrientes de la realidad, que aparecen de modo fragmentario, cortándose unas con otras, una sola, en línea recta pasa por él hacia el infinito. El filósofo vive parcialmente orientado por un supuesto pero que por eso supera el carácter rudimentario de la vida empírica".

Obras: *Sobre la diferenciación social* (1890), *Introducción a la ciencia moral* (1892), *Problemas de la filosofía de la historia* (1892), *Filosofía del dinero* (1900), *Schopenhauer y Nietzsche* (1906), *Sociología, estudios sobre la forma de socialización* (1908), *Problemas fundamentales de la filosofía* (1910), *Cultura filosófica* (1911), *Goethe* (1913), *Rembrandt, un ensayo sobre la filosofía del arte* (1916), *La guerra y las decisiones espirituales* (1917), *Kant* (1918), *Intuición de la vida, cuatro capítulos metafísicos* y *Filosofía del arte* publicado póstumamente en 1922.

FRANCISCO AYALA

SCHOPENHAUER
Y NIETZSCHE

Prólogo

El dar a conocer las ideas de Schopenhauer y Nietzsche tropieza con dificultades opuestas. Schopenhauer es un escritor completamente claro. Su manera de pensar y su estilo hacen imposible que surja una "interpretación original" de su doctrina para reformar la tenida hasta aquí por válida –tal como es siempre posible tratándose de Platón y Spinoza, Kant y Hegel–. Por eso, si la exposición de Schopenhauer ha de ser algo más que mera información, elevándose sobre el contenido de la doctrina, habrá que presentarlo en conexiones críticas con hechos de cultura y encadenamientos espirituales, con normas de conocimiento y valores éticos. Pero si con Schopenhauer no es necesaria la mera interpretación lógica, tratándose de Nietzsche ésta es, por el contrario, imposible. Cuando reduzco a frialdad científica su lenguaje poético o condicional, no sólo se modifica su forma, sino que a sus expresiones se les presta un grado de abstracción que ellas mismas no alcanzaron, y que por eso las hace susceptibles de muy diversas interpretaciones. Nietzsche mismo ofrece demasiado poco a la interpretación filosófica meramente expositiva, mientras que Schopenhauer ofrece demasiado. Por estas razones, de índole contraria, puede afirmarse que para uno y otro la manera profunda de tratarlos, en vez de ir a la mera exposición de la filosofía del pensador, debe ir a una filosofía sobre el pensador.

Así, el carácter de este libro, determinado por su objeto, se adapta a su intención fundamental, que es la de ofrecer una contribución a la historia general del espíritu y a la comprensión del significado permanente del pensamiento de ambos filósofos. Lo esencial desde este punto de vista, coincide en absoluto con lo esencial y nuclear de las personalidades mismas de ambos pensadores. Esto no debe darse por sobreentendido, y mucho menos cuando se trata de Schopenhauer y Nietzsche. De ambos poseemos las consideraciones más variadas sobre problemas que no están en conexión necesaria, y a veces que no lo están en ninguna, con la sustancia central de su pensamiento. Y no sería inverosímil que entre estas consideraciones se encontrase precisamente lo más valioso, filosófica o históricamente, de su obra, como ocurre con muchas personalidades en las cuales los productos que subjetivamente eran secundarios han resultado objetivamente los más importantes o los más fecundos. Pero la posibilidad y la razón de ser de esta exposición se basa en que, en el caso de nuestros filósofos, las cosas ocurren de otro modo. Pues se parte del supuesto de que los pocos motivos directivos, los núcleos más íntimos de las filosofías de Schopenhauer y Nietzsche, son al mismo tiempo lo que en ellos hay de más valioso objetivamente y lo que en verdad es perenne. En tanto que mi exposición sólo enfoca este núcleo último de las conexiones del pensamiento, se elimina todo lo sensacional y paradójico que caracteriza a ambos pensadores en igual grado, porque si Schopenhauer nos parece quizás menos paradójico que Nietzsche, ello es efecto del tiempo y de la costumbre. En realidad, todos los elementos lógica o éticamente revolucionarios sólo afectan a la parte secundaria y accidental de su pensamiento. Todas las ingeniosidades, las antítesis y paradojas de los dos escritores no son más que elementos decorativos, o ataques y defensas que se refieren a las relaciones de sus pensamientos con otros; pero no tocan a su ser más íntimo, tal como se ha producido desde dentro, como la expresión de un tipo determinado del alma humana.

Lo que una filosofía tiene de positivo se encuentra, según queda dicho, allí donde el núcleo mismo de la filosofía, su punto central subjetivo, coincide con el punto central de su significación objetiva. Y esto tiene que darse en todo filósofo original, porque, como dice Goethe a propósito de Schopenhauer, saca de su interior, más aún, del interior de la humanidad, la contestación a la pregunta por lo "objetivo". Con esto se comprenderá que se formule del modo que sigue el programa de la presente exposición. Describir una personalidad por su interés para la historia de la cultura no significa contar su vida entera; pues, según la peculiaridad de aquel interés, se suprimen muchas cosas, se realzan otras y –esto es lo esencial– lo restante se reúne en una imagen unitaria, que no corresponde a un modelo inmediato de la vida real, sino que da, como el retrato artístico, en lugar de la totalidad real del objeto, una evocación ideal del mismo, el sentido y la significación que le corresponden a partir de una finalidad expositiva determinada. Frente a un filósofo, el problema consiste en elegir, de entre la totalidad de sus manifestaciones, aquellas que den un contexto de pensamiento firme, unitario, importante, prescindiendo de que en aquella totalidad queden elementos contradictorios, dudosos, de significado distinto. El despliegue histórico del pensamiento realiza siempre esta separación, esta escisión y reunión de un complejo de pensamientos, que en sí forman un todo común, y cuando se trata de un filósofo sólo ejerce influencia la imagen así formada; pero no todas las fluctuaciones meramente psíquicas, todo el ir y venir del pensamiento que juega alrededor de aquella serie coherente o que incluso la contradice. El expositor no tiene sino que anticipar con conciencia metódica este proceso, que ha de cumplirse en la actuación histórica del filósofo. Este procedimiento, aplicable a todo lo histórico en general, tiene, aplicado a la historia de la filosofía, y siempre que lo dominante sea el interés filosófico objetivo y de historia del espíritu, la significación especial de que consiente prescindir de las "contradicciones", de aquellas manifestaciones del pensador que contrastan con sus pensamientos esenciales. El que un pensador vacile entre ideas que recíprocamente se excluyen, e incluso el que las haya reunido en un pensamiento, puede hablar contra él como personalidad psíquica o contra su facultad autocrítica; pero esto nada dice contra el hecho de que una de estas series de pensamientos contradictorios sea verdadera, o por lo menos importante.

Se podrán, acaso, reunir pasajes de los escritos de Nietzsche que aparezcan completamente opuestos a la concepción que yo ofrezco de él; basta con que, si la concepción que aquí se expone se desprende de otros pasajes, y su significación objetiva lo justifica, sea considerado como la propiamente original y como el núcleo esencial, para la cultura espiritual, del conjunto de los pensamientos de Nietzsche.

I. Schopenhauer y Nietzsche
y su posición en la historia del espíritu

Por una paradoja, toda elevación de la cultura humana consiste en que, a medida que ésta crece, necesitamos ir a nuestros fines por caminos cada vez más complicados y más abundantes en estaciones y rodeos. El hombre es el ser indirecto, y esto tanto más cuanto más cultivado se encuentre. El animal y el hombre no cultivado alcanzan aquello que su voluntad se propone, apoderándose de ello de una manera directa o empleando sólo un escaso número de medios sencillos. La multiplicidad y la complicación crecientes que la elevación de la vida comporta no permiten la serie de los tres términos: *deseo, medio, fin*, sino que transforman al miembro intermedio en una pluralidad, en la que el medio eficaz resulta producido por otro medio, y éste a su vez, por otro, hasta que aparece aquella complicación incalculable, aquel encadenamiento de la actividad práctica en que vive el hombre de culturas maduras. Piénsese tan sólo en la adquisición de los alimentos, en la simplicidad del procedimiento que era suficiente –claro que con frecuencia no alcanzaba a serlo– para procurarse el pan en las culturas primitivas, y compárese con la ramificación de tan innumerables operaciones, aparatos, medios de transporte como son necesarios para que el hombre moderno encuentre el pan en su mesa. Por esta prolongación de las series de fines que hace de la vida un problema técnico, nos es imposible a veces tener en la conciencia en cada momento el último miembro de cada serie; en parte, porque no podemos abarcarla toda; en parte, porque el paso inmediato, de transición, requiere la concentración de todas nuestras energías anímicas; la conciencia se detiene en los medios, y los últimos fines, de los cuales recibe sentido y significación toda la cadena, desaparecen de nuestro horizonte visible. La técnica, es decir, la suma de los medios necesarios a la existencia cultivada, se convierte en el contenido propio de los esfuerzos y valoraciones, hasta que el hombre se encuentra rodeado por todas partes de empresas e instituciones que corren en todas direcciones, y a todas las cuales les faltan los fines definitivos que les dan valor. En tal situación de la cultura es cuando se siente la necesidad de un fin último para la vida en general. Mientras la vida se llena con series cortas de fines, satisfactorias cada cual de por sí, le falta el desasosiego que ha de producirse al darse cuenta de que se encuentra presa en una red de medios, rodeos, soluciones provisorias. Sólo cuando comprendemos el carácter de medios que tienen innumerables actividades e intereses en los que nos habíamos concentrado como en valores definitivos, se suscita el problema agudo de la significación y el objeto del conjunto. Por encima de los fines singulares, que ya no son algo último, sino penúltimo y antepenúltimo, se alza el problema de una unidad verdadera en que hallen madurez y sosiego todos aquellos impulsos inacabados, sacando al alma de la confusión de las soluciones incompletas.

Parece que, por primera vez en la historia conocida del mundo, las almas se encontraron en esta disposición en la cultura grecorromana. Los sistemas de fines de la vida se habían hecho tan complicados, tan variadas las series del hacer y del pensar, y los intereses y movimientos de la vida tan amplios y dependientes de tantas condiciones, que lo mismo en los impulsos certeros de la masa que en la reflexión de la conciencia filosófica, se despertó una búsqueda inquieta del objetivo y sentido general de la vida. El *carpe diem* recortaba al hombre sensual; pero la cuestión era precisamente la prueba de su existencia. Las alegrías sensuales del momento tenían sin duda su fin en sí mismas, y al escindir la vida en una serie de momentos singulares acentuados la liberaba violentamente de la necesidad de una unidad absoluta. El misticismo de las religiones orientales importadas, la inclinación cada vez mayor a todo género de supersticiones, y por otra parte, al mismo tiempo, la lucha contra la idolatría prueban que el mundo había dejado de hallar sentido en la amplitud de la vida confusa.

En tal situación –quizás la más desesperada interiormente en que la humanidad se haya encontrado–, fue el cristianismo el que trajo la salvación. El cristianismo prestó a la vida el fin absoluto que ésta ansiaba, después de que la había hecho perderse en un laberinto de meros medios y relatividades. La salud del alma y el reino de Dios se ofrecían a los hombres como el fin absoluto más allá de todo lo singular, lo fragmentario y absurdo de la vida. Y de este fin ha vivido hasta que en los últimos siglos perdió su poder para innumerables almas.

Pero al perderse la fe no se perdió con ella el ansia de un fin último de la vida, sino al contrario. Como las necesidades se hacen más firmes y se ahondan más cuando han estado satisfechas durante largo tiempo, la vida había conservado un ansia profunda de un fin absoluto, aun después de haber desaparecido el contenido anterior de este fin último. Tal ansia es la herencia del cristianismo, que ha dejado tras sí la necesidad de algo definitivo en los movimientos de la vida, necesidad que sigue subsistiendo como un impulso vacío hacia un fin que se ha hecho inalcanzable.

La filosofía de Schopenhauer es la expresión absoluta, filosófica, de este estado íntimo del hombre moderno. El punto central de su teoría es que la esencia metafísica del mundo y de nosotros mismos encuentra su expresión general y decisiva en la voluntad. La voluntad es la sustancia de nuestra vida subjetiva, porque lo absoluto del ser es un impulso incesante, un continuo ir más allá de sí mismo, que está condenado, precisamente por ser el fundamento agotador de todas las cosas, a quedar eternamente insatisfecho. Pues la voluntad no puede hallar nada fuera de sí en que satisfacerse, no puede encontrarse ya consigo misma en miles de disfraces distintos, y es impulsada en un camino eterno a continuar tras cada etapa de descanso aparente. Así se expresa en una concepción general del mundo la demanda de un fin último para la existencia, y al propio tiempo su imposibilidad; lo absoluto de la voluntad, que es idéntico a la vida, no le deja llegar a aquietarse en nada exterior a ella, porque fuera de ella nada existe, y de esta manera expresa la situación de la cultura del momento, llena de anhelo por un fin último de la vida, que siente como desvanecido para siempre, o como ilusorio.

Y este mundo, impulsado por la voluntad de fines y carente de ellos, es el punto de partida de Nietzsche. Pero entre Schopenhauer y él se encuentra Darwin. Mientras que Schopenhauer se detiene en la negación de la voluntad del fin último, y, por tanto, no puede sacar como consecuencia necesaria de ello más que la negación de la voluntad de vivir, Nietzsche encuentra en el hecho de la evolución del género humano la posibilidad de un fin que permite a la vida afirmarse. Para Schopenhauer la vida está condenada en última instancia a la carencia de valor y de sentido, por ser en sí misma voluntad; por eso es lo que en absoluto debiera no ser. En el disgusto ante la vida se expresa ahí aquel terror que ciertas naturalezas sienten ante el hecho del ser, al contrario de otras a las que el ser, como forma, como tal, con independencia del contenido que pueda ofrecer, las llena con la felicidad de un éxtasis sensual o religioso. Schopenhauer carece de comprensión para el sentimiento que penetra plenamente a Nietzsche, para el sentimiento de la solemnidad de la vida. Nietzsche, en oposición a Schopenhauer, ha extraído del pensamiento de la evolución un concepto completamente nuevo de la vida: el de que la vida es, en su ser más íntimo y propio, intensificación, aumento, concentración cada vez mayor de las fuerzas ambientes en el sujeto. A través de este impulso –puesto inmediatamente en ella y por el cual logra la elevación, el enriquecimiento–, la vida puede llegar a ser su propio fin, y con eso queda eliminado el problema de un fin último que estuviese colocado más allá de su proceso natural. Esta representación de la vida –la absolutización poético-filosófica de la idea darwiniana de la evolución, cuya influencia ha despreciado demasiado Nietzsche en su última época–, esta representación me parece ser el resultado de aquel sentimiento general de la vida, decisivo en última instancia para toda filosofía, y en que se basa la diferencia más profunda y rigurosa entre Nietzsche y Schopenhauer.

La vida en su sentido más fundamental, que está todavía más allá de la oposición entre la existencia espiritual y la corporal, aparece como una suma incalculable de fuerzas o posibilidades, dirigidas en sí mismas a la elevación, intensificación y aumento de eficacia del proceso vital; pero no cabe describir analíticamente este fenómeno mismo, que en su unidad es el último fenómeno fundamental de nuestro ser. La vida efectiva será tanto más "evolución" cuanto un mayor número de los elementos que sirven al fortalecimiento de su propio ser llegue a desplegarse. Así, el que un proceso real haya de constituir evolución –en el sentido histórico-psicológico o también en el sentido metafísico– no dependerá de ningún fin exterior a él y que le comunique una cierta medida de medio o de tránsito para otros fines. Nietzsche trata de volver a poner en la vida misma, como por una inversión, el fin que le presta sentido y que se había hecho ilusorio colocándolo fuera de ella. Y ello no hubiera podido hacerse de modo más radical que a través de la afirmación de que la propia elevación, la mera realización de lo que la vida posee en posibilidades de intensificación, contenga ya en sí todos los fines y valores vitales. Según esto, cada estadio de la existencia humana ha dejado de hallar su fin en algo absoluto y definitivo, para encontrarlo ahora en el estadio que sigue, en el cual todo lo que en el anterior estaba iniciado se amplía y aumenta en eficacia, y en el cual, por lo tanto, la vida se ha hecho más plena y más rica, *más vida*. El superhombre nietzscheano no es otra cosa que el grado de superación, por encima del realizado por la humanidad en un momento determinado; no es un fin último predeterminado que diese su sentido a la evolución, sino la expresión de que no es necesario ningún fin semejante; de que la vida posee en sí misma, es decir, en la superación de cada grado por otro más pleno y más perfecto su propio valor. La vida, cuyos contenidos no son aquí más que los aspectos o manifestaciones de su misterioso proceso unitario, se ha convertido en su propia instancia última. Y como la vida es superación y constante fluir, esto se expresa de manera que cada concreción de la vida tiene en la siguiente la norma más elevada que le da sentido, y para llegar a la cual despliega sus fuerzas.

Aquí se hace preciso acudir a la interpretación de Nietzsche para comprender su respuesta al problema de la situación histórica de la que yo había partido. Nietzsche no resuelve la cuestión decisiva en una forma lógico-abstracta, sino que la solución se deducirá de sus manifestaciones referidas más bien a la solución de problemas particulares. La solución del problema por medio de un tal concepto de la vida depende de que sea posible formular una evolución no dominada por un fin último, pues a primera vista parecería que sólo un fin último puede convertir en "evolución" a una serie de acontecimientos, esto es, sacar de la mera sucesión de estadios del mismo valor un escalonamiento ascendente de éstos. Pues ¿de qué manera habría de aparecer el posterior como más desarrollado que el anterior, si aquél no se legitimara como más valioso por su mayor aproximación al miembro final que presta valor definitivo a la serie, por la mayor participación en lo que se considera como el último objetivo? El simple llegar a ser otro, que se ofrece en el puro curso causal de las cosas, sólo se convertiría, según esto, en evolución, considerada como una serie ascendente de valores, por medio de un objetivo de antemano fijado, de manera que el concepto de evolución llevaría escondido en sí el fin último absoluto, del cual había que redimir precisamente a la vida. Nietzsche se salva de esta consecuencia acaso, dando un concepto muy puro de la evolución, considerando que la evolución no es otra cosa que el desarrollo de las energías latentes, la realización de aquello que existía escondido en forma de mera posibilidad. Pero entonces podría objetarse: todo acontecer sería una evolución, en tanto que todo acontecer significa una actualización de fuerzas latentes. Esto es cierto; pero limitándonos a la esfera que a nosotros nos interesa –la de la evolución espiritual y social–, resulta que no todas las fuerzas latentes se desarrollan. Un número incalculable de ellas permanece retenido, muchísimas desaparecen en series de fenómenos que se les cruzan y que proceden de otras direcciones, y muchísimas, por defecto o exceso de condiciones, se desvían del camino que indudablemente hubieran seguido por sí mismas, abandonadas a su propio sentido. Por tanto, de evolución natural propiamente dicha no puede hablarse más que allí donde nos encontramos con un ser o un complejo de seres con energías latentes que siguen una dirección propia muy decidida, y cuando una parte considerable de ellas logra la realización que objetivamente demandan.

Esto es fruto de un optimismo enorme. Se presupone una estructura tal de las posibilidades que yacen en el hombre, que la mera realización de una masa considerable de ellas garantiza o, mejor dicho, agota el valor de esta misma realización. Cierto que podría objetarse: pero es que una evolución que hubiera de llevar en sí el valor de la vida, sólo debiera encerrar las posibilidades valiosas y no las nocivas de nuestro ser, y, por consiguiente, toda la teoría se apoya en el círculo vicioso de que el valor de la vida consiste en la evolución de la vida; pero la evolución presupone ya elección con ciertos criterios valorativos; de esto se hablará más adelante. Por ahora, bastará salir al encuentro de esta objeción entendiendo la idea de la evolución de modo que en ella esté contenida la transformación de la cantidad en calidad. Las series de vida a las que se llama malas, y que se estiman carentes de valor, son las que inmediatamente y en sus consecuencias impiden que se desarrollen en nosotros energías latentes, y, por otra parte, lo que nosotros consideramos como bueno y valioso es, en último término, aquello que libera en nosotros, en la humanidad, un mayor número de energías; por el contrario, para el pesimismo de Schopenhauer todo "vivir más" es lo malo en absoluto, y el hecho meramente cuantitativo de que se introduzca en la realidad una nueva serie vital confirma la insensatez del hecho de la vida.

Habida cuenta de esta distinción fundamental en la manera de considerar Nietzsche y Schopenhauer la teleología de la vida, se comprende que para este último la existencia humana se exprese en su ritmo interior como una inacabable monotonía. De sus descripciones y valoraciones de la vida humana saco a veces la impresión de que la sustancia de su pesimismo no fueron los dolores positivos, sino el aburrimiento, la monotonía paralizadora de los días y los años. La ausencia de toda idea de superación arroja a la humanidad en una uniformidad desconsoladora. Mientras la vida tenía aún un fin último, las relaciones variadas en que se hallaba respecto de éste le daban un rico juego de luz y sombras. Pero ahora, desaparecido ese fin último, y cuando, sin embargo, el ansia hacia él sigue viviendo y nos impide tomar tranquilamente la realidad monótona, aparece el tormento del aburrimiento, la indignación contra el desconsuelo gris de la vida, como una reacción natural del sentimiento. El hecho del aburrimiento le demuestra a Schopenhauer la insensatez de la vida. Pues si no estuviésemos ocupados en nada, si no estuviésemos saturados de ningún contenido particular, sentiríamos en su pureza la vida, y esto es lo que precisamente determina aquella situación desesperada. Aquí se manifiesta, con mayor hondura que en punto alguno, la diferencia radical entre Nietzsche y Schopenhauer. La humillación más profunda y el más alto triunfo del proceso de la vida dependen igualmente de la negación de un valor y fin absoluto colocado fuera de la vida misma. Humillación, si se considera que la vida sin fin, vacía y absurda, parece no hacer otra cosa que dar vueltas alrededor de sí misma; elevación, si la vida como superación toma en su ser más propio y más íntimo el carácter de ese fin que ha perdido en lo exterior.

La misma base tiene la diferencia que hay entre ambos en cuanto a la manera de considerar las diferencias de significación que se dan dentro de la humanidad. En Schopenhauer salta a veces un orgullo que afirma la aristocracia del espíritu; pero este sentimiento es una inconsecuencia para con sus convicciones fundamentales. Aquella monotonía, que depende de que a la vida le falta en realidad una medida según la cual pudiesen apreciarse diferencias de valor dentro de ella, tiene que ser referida también a las relaciones de los hombres entre sí. Si las existencias positivas no tienen valor alguno, sino que adquieren su mayor perfección a medida que se aproximan a su aniquilamiento, esta uniformidad, esta carencia de diferenciación jerárquica no sólo debe aplicarse a los distintos momentos de las existencias, sino a la serie entera de ellas. Y Schopenhauer saca las consecuencias, por lo menos al formular el problema moral: el hombre plenamente moral no hace diferencia alguna entre el sí propio y los otros; si no teórica, por lo menos prácticamente reconoce la profunda unidad metafísica de todo lo existente, frente a la cual la particularización individual no es más que una apariencia engañosa, consecuencia de nuestras concepciones subjetivas. Se diría que aquella absoluta unidad de la raíz de nuestro ser no es tanto el fundamento de que no existan en definitiva diferencias, cuanto la consecuencia de la expresión o el reflejo de esta no existencia de diferencias, que depende de la falta de un fin de vida definitivo al que tales diferencias pudiesen referirse. Por el contrario, la concepción de Nietzsche tiene que poner en el lugar de la democracia metafísica una acentuada distanciación de los rangos, una aristocracia. La superación de la vida total no se cumple al mismo tiempo en todos sus portadores; por el contrario, su fórmula es que nuestra especie consta en cada momento de una serie gradual de existencias más o menos desarrolladas, y que las más elevadas de entre ellas dan la medida a la que en total la vida ha llegado. Dependiendo esto de que la evolución es una evolución al infinito, la diversidad de los grados de evolución trae consigo la diferencia de valor entre los individuos. El principio de la superación hace a Nietzsche aristócrata, porque traslada el sentido de cada uno de los grados de la existencia al que se eleva sobre él. Lo más elevado no es posible sino a condición de que haya o haya habido otro que lo sea menos, al contrario de lo que ocurre con la fórmula de "la igualdad ante Dios" y del valor absoluto de toda alma humana en cuanto tal –lo cual es verdad también para Schopenhauer, aunque con signo negativo–, para Nietzsche no puede llegarse a ningún valor si no existe de antemano un menos, sin que haya ningún estadio de la evolución al que corresponda un valor absoluto; no puede tener otro valor que el de ser un desarrollo más pleno de otro estadio más bajo, el sentido de cuya existencia estaba precisamente en esta capacidad de desarrollo, y, por otra parte, el de ser la base de otro estadio que vaya más allá que él. Al afirmar que la vida es superación se afirma la desigualdad aristocrática de sus formas, de igual manera que haciendo desaparecer el fin en general se rebaja a estas formas a un nivel uniforme.

La diferencia de posición de ambos filósofos, a pesar de la comunidad del punto de partida –negación del fin absoluto como ser–, se acentúa en aquellos valores a los que principalmente se dirige la desvalorización schopenhaueriana del mundo. Cuando sobre el momento no existe ni un fin absoluto, como en el cristianismo, ni uno relativo, como en la teoría de la superación de Nietzsche, el valor se traslada indefectiblemente a las emociones determinadas por el momento mismo, al dolor y al placer. El que niega un fin a la vida tiene que ser eudemonista, porque el dolor y el placer se le aparecen entonces como la única acentuación de la vida concentrada sobre el momento, sin poder ir más allá de él. La suma de dolor que se da en la existencia, la imposibilidad de que este dolor sea equilibrado por una cantidad de felicidad, por grande que fuera; más aún, el mero hecho del dolor que, aparte de toda cantidad, no puede ser verdaderamente remediado por ninguna sensación placentera, ésta es para Schopenhauer la prueba empírica y decisiva de la absurdidad del mundo, la cual está ya predeterminada por su carácter de voluntad. La negación de la voluntad de vida que ofrece como solución práctica al enigma del mundo no es otra cosa, en sus consecuencias prácticas, que la redención de los sentimientos de dolor de la vida. Nietzsche está libre de estar forzado a conceder al momento este valor absoluto, pues su evolución encuentra su valor precisamente en la superación de cada momento singular. Hacer depender del dolor y el placer el valor de la vida tiene que aparecérsele como una perversidad, en la misma medida y por la misma razón que la postulación ética de la igualdad de todos los hombres. Ha de aparecérsele como una detención del sentimiento del valor en la amplitud de los momentos provisionales de la existencia, la cual está destinada a superarlos en beneficio de las más altas cimas de la superación. Con el dolor y el placer como normas de valor la vida se encuentra siempre, por decirlo así, en un callejón sin salida, y el considerarlos cada vez como algo definitivo sería lo mismo que poner un punto en medio de una proposición. El dolor y el placer son meros reflejos del movimiento de la vida, que sigue siempre hacia adelante; y, por tanto, su fin, alcanzar en cada momento la mayor elevación posible de nuestra especie, no necesita tenerlos para nada en cuenta. A lo sumo, el placer y el dolor pueden ser utilizados poniéndolos al servicio de los verdaderos valores de la vida. "La disciplina de los grandes dolores –dice Nietzsche en una ocasión– produjo todas las elevaciones de la humanidad." En esta inversión del significado de los estados eudemonísticos se manifiesta una vez más la oposición del mundo de Schopenhauer y el de Nietzsche. Para aquél, dicha y sufrimiento son lo definitivo del valor de la vida, porque ellos solos se salvan, gracias a su estructura espiritual, de la falta de comparatibilidad en que la desaparición del fin último había dejado a la vida; para éste son por completo indiferentes, precisamente por ser cosas del momento, meras estaciones en las que no vale la pena que la vida se detenga. Y si cae sobre ellos un reflejo de valor no es porque la vida se desarrolle hacia ellos, sino al contrario, porque ellos se han desarrollado hacia la vida y en la medida en que lo hagan; porque pueden ser utilizados como medios para su intensificación.

Y esto no está en contradicción con aquella apoteosis del placer con que termina Zaratustra:

> Lust, tiefer noch als Herzeleid:
> Weh spricht: Vergeh!
> Doch alle Lust will Ewigkeit...
> will tiefe, tiefe Ewigkeit!

(El placer: más hondo que el dolor. / El dolor dice ¡pasa!, / y todo placer quiere eternidad. / ¡Quiere profunda, profunda eternidad!)

Porque aquí toma del placer el rasgo en virtud del cual supera su mera vida momentánea, no en su efectividad, pero sí en el sentido ideal; toda felicidad encierra el ansia de su duración, a su realidad pasajera va íntimamente unido –como una exigencia que no decae porque no puede cumplirse– un querer de su existencia eterna. Desde este punto de vista es como Nietzsche ve un reflejo de eternidad en la dicha, y le permite participar en el significado que da a este concepto, en apariencia de una manera mística, pero en realidad con plena consecuencia respecto de sus fundamentales concepciones. Para Schopenhauer la eternidad de un ser debe ser el más terrible de los pensamientos; pues para él significa la irredención absoluta, la infinitud del proceso universal, cada uno de cuyos momentos es ya de por sí un tormento insensato. Como dentro de la existencia no hay salvación, la eternidad tiene que ser para Schopenhauer la contradicción lógica del único pensamiento en el que él halla un consuelo y un sentido para la existencia: el pensamiento de su negación espiritual y de su aniquilamiento metafísico. Y, en cambio, el único pensamiento por el que Nietzsche se salva del pesimismo de la ausencia de fines de vida: el pensamiento del triunfo de la vida, que se eleva al infinito sobre el presente, siempre imperfecto, sólo puede concebirse bajo la condición de eternidad. Cuando menos, como ideal y como expresión simbólica de la forma racional de la existencia, la eternidad tiene que estar a nuestra disposición, como el único marco dentro del que cabe encajar el proceso de fines del mundo. La eternidad es el puente a través del cual, partiendo de una concepción pesimista, llega a un optimismo, pues le da la posibilidad absoluta de unir al *no* que acompaña a todo lo dado, en el momento existente, con el *sí* de la existencia en general, que ofrece al presente imperfecto un marco ilimitado en el que puede ir desplazándose paulatinamente hacia un estado de mayor perfección. El pensamiento de la eternidad es el punto en el que las dos corrientes de ideas de Schopenhauer y Nietzsche, que habían partido de un mismo origen, se separan para tomar opuestas direcciones.

Si nos ponemos frente a las tendencias generales de uno y otro pensador, la simpatía del hombre moderno se irá sin duda hacia Nietzsche. Puede rechazarse la forma darwiniana de la teoría de la superación; pero el que la vida, por su más íntimo sentido y en sus más profundas energías, posea la posibilidad, el impulso para marchar a formas más perfectas, a un más de su ser, por encima de cada situación actual, esto es lo que no se perderá en la obra de Nietzsche y lo que, gracias a él, ha venido a iluminar todo el paisaje espiritual. Este motivo fundamental luce de tal modo por encima de la forma antisocial que Nietzsche le ha comunicado, que a pesar de eso aparece como una expresión, más adecuada que la de Schopenhauer, del actual sentimiento de la vida. Y uno de los aspectos trágicos de Schopenhauer consiste en que defiende con las mejores energías la peor de las causas. Porque, como filósofo, es sin duda más grande que Nietzsche. Posee esa relación misteriosa con el absoluto de las cosas, que el gran filósofo sólo comparte con el gran artista; de tal modo, que escuchando el fondo íntimo de su propia alma, oye el ser más profundo del mundo. Este tono puede estar coloreado subjetivamente, y no sonar más que en las almas afinadas para él de antemano; lo decisivo es la profundidad de la visión, la pasión por el conjunto del mundo, mientras que el hombre no metafísico se detiene en sus partes. En cambio, Nietzsche no posee esta extensión de la vida subjetiva hasta las profundidades de la existencia en general. No lo mueve el impulso metafísico, sino el moral; no le interesa la esencia del ser, sino la esencia del alma humana y de su deber ético. Posee la genialidad psicológica de hacer que resuenen en su propia alma la vida psíquica de las especies más heterogéneas de hombres y la pasión ética por el tipo humano en general. Mas, pese a la nobleza de su intención y a la flexibilidad de su espíritu, le falta el gran estilo con que Schopenhauer se dirige al fundamento absoluto de las cosas, y no sólo del hombre y sus valores, lo que, por caso extraño, parece negado a los hombres de la mayor finura psicológica.

Interesa señalar esta diferencia de nivel entre nuestros filósofos, tanto más cuanto que ambos parten de la contestación del alma a la cuestión del estado de la cultura espiritual; pero un paralelo riguroso en la exposición de los dos pensadores haría la confrontación de sus teorías más complicadas de lo que ya lo era. Pues una confrontación semejante despoja a cada uno de su carácter propiamente personal, que sólo aparece en la conexión total con los pensamientos que están en relación con él. Y esta conexión no es un simple tono de lírica ascensión, irrelevante en el fondo, sino que toda afirmación efectiva no adquiere su significado filosófico, su carácter *orgánico*, sino como expresión parcial de una unidad espiritual dirigida en un sentido determinado, de un aspecto total, personal, pero típico, de la vida. Cuanto más "personal" sea una personalidad espiritual, tanto más celosamente conservará el sentido propio de cada una de sus expresiones en la conexión con su ser general (aun cuando este "ser" no sea mecánicamente idéntico a la totalidad de sus concretas expresiones), tanto más falto y contradictorio será medirlo con otro, por más que el resultado de esta comparación sea de igualdad o de desigualdad. Más aún: pienso que la comparación, aunque sea de conjuntos de personalidades, sería una empresa contradictoria, aunque esto no resulte tan fácil de mostrar. Pues la personalidad, en cuanto lo es, es absolutamente incomparable; y esto depende de su naturaleza interior, y no es consecuencia de la complicación o dificultad de la tarea. Toda comparación destinada a reducir el uno a un común denominador con el otro violenta su unicidad, que no encuentra su medida más que en la idea del propio ser o en las normas que van más allá de la personalidad en general. Pero este desvío y esta humillación de las grandes personalidades, que significa el paralelismo, la búsqueda de "relaciones", le dan al epígono una mayor confianza con aquéllos, rebajando el nivel de su inaccesibilidad.

Pero la personalidad en este sentido es un fin de la evolución al que nunca se llega por entero; innumerables veces ocurre que las cualidades del hombre no salen, por así decirlo, del estadio de comparabilidad, y no se concentran en la unidad del alma. Toda gran filosofía es una anticipación de esta unidad de formas, a la que la realidad del alma no puede llegar. Pues así como el arte es el mundo "visto a través de un temperamento", la filosofía es un temperamento visto a través de una concepción del mundo; es decir, una explicación y una ordenación tal de los elementos del mundo, que por su medio se fija *un* centro, *una* de las posiciones fundamentales que la humanidad puede adoptar frente a la existencia; aparta (cosa que en el resto de la vida no se logra) todos los estados de ánimo que no encajan en la unidad del motivo fundamental, único que abraza el todo. La concepción del mundo es algo tan cerrado como el ideal de la personalidad; por eso toda filosofía que no sea ecléctica será por naturaleza, y en su más hondo fundamento, incomparable con cualquier otra.

Si, a pesar de eso, he puesto uno frente al otro a los dos filósofos, lo hice porque hasta ahora no se trataba de la pura individualidad de su pensamiento, sino de su emplazamiento dentro de una situación determinada de la cultura. Hasta aquí sólo han sido presentados como representantes de las posibilidades de configuración que ofrece la base común de un período de la historia del espíritu. Vistas desde este ángulo, la figura de cada uno de ellos adquiere mayor relieve comparada con la del otro, al paso que la exposición de cada uno, partiendo del propio centro de su pensamiento, no permitiría ya esta comparación. Sin embargo, el tratar como *un* problema estas dos exposiciones deriva precisamente de lo personal y sustantivo de sus concepciones; su conexión no está en ellos mismos, sino en nosotros, porque cada uno de ellos ha construido, de un modo puro y cerrado, *una* de las direcciones en medio de cuya oposición está suspendida la vida empírica.

II. El hombre y su voluntad

Si el carácter plural de nuestras cualidades y fuerzas da lugar a la distinción entre el hombre y el animal que se encuentra prisionero en la
monotonía de una sola actividad y posibilidad de vida, esa pluralidad
del sujeto se refleja luego a su vez en la multitud de las imágenes que de
los objetos forma. La representación de un objeto a la que el animal
llega, acaso tras una serie de ensayos y tentativas, es para él la expresión exclusiva de su naturaleza unitaria con sus necesidades y concepciones propias y con su relación con los objetos. Pero al hombre, que es
un ser múltiple, su relación con las cosas se le aparece como una pluralidad de maneras de concebirlas, y cada cosa particular se le presenta
como colocada en más de una serie de intereses y conceptos, de imágenes y significaciones. Así, el objeto no es sólo objeto del deseo, sino
también del conocimiento teórico; no sólo del conocimiento, sino también de la valoración estética; no sólo de la valoración estética, sino
también del sentimiento religioso. Esta actividad del alma, cuya propia
multiplicidad se refleja en la riqueza significativa de las cosas, pasa,
con la filosofía, del estadio de la existencia aleatoria, al estadio del
principio y de la interior necesidad. Toda filosofía se basa en que las
cosas son todavía algo más. Lo múltiple es, además, unidad; lo simple,
compuesto; lo terrenal, divino; lo material, espiritual; lo espiritual,
material; lo inerte, movible, y lo movible, inerte.

La filosofía ha elevado a fórmula esta cualidad esencial. Kant declaró que todo lo que podemos saber es fenómeno determinado por nuestra potencia de conocimiento, dejando más allá de esta potencia, en
eterna oscuridad para nosotros, a las cosas tal como son en sí, porque
todo conocimiento habría de transformarlas en representaciones; de
tal manera creó la expresión más general y fundamental para el *ser más
que una* de las cosas. Pues según esto, no sólo está el objeto en un orden
determinado y, además, en otro también determinado, sino que cualquiera que sea el orden en que esté como determinable y susceptible de
saberse, siempre habrá tras él otro orden que, por principio, no puede

ser determinado ni conocido. Así, la multiplicidad de la existencia arraigó en la esencia de todo objeto; por múltiple y complicado que sea, sólo lo es para nosotros, y posee siempre otro aspecto que nosotros no podemos ver. Y el hecho de que su multiplicidad no es más que el reflejo de nuestra multiplicidad interior se manifiesta, ante todo, en que el sujeto tiene que dejar fuera de sí incondicionalmente todo aquello que no es él mismo, y esto se refleja también de manera fundamental en el objeto; sea éste lo que quiera, para nosotros será, además, en sí algo no susceptible de ser conocido en su esencia.

Pero a pesar de que así quedaba demostrado en principio el límite hasta el que puede ir el problema del conocimiento, esta negación del problema dio de sí un problema nuevo. Surgió un filosófico anhelo hacia la cosa en sí, hacia el ser más allá de la representación, y se buscó una relación con ella, sea por una especie de conocimiento que se diferenciase de todo lo conocido en general con este nombre y estuviera libre de la limitación a la forma subjetiva, sea por una relación inmediata, que no sería conocimiento, pero que sería más que conocimiento. La filosofía de Schopenhauer no es más que un esfuerzo en busca de esta cosa en sí. Pero no como tratando de llenar un esquema vacío; éste es el procedimiento de los epígonos o, en general, de todos aquellos a quienes la filosofía, en más o en menos, les viene de afuera. Schopenhauer, que era filósofo desde sus adentros, traía ya un sentimiento característico del mundo que lo dirigía hacia el ser absoluto, a la unidad definitiva de todas las diversidades. Tal vez se exprese lo mismo con mayor exactitud diciendo: Mientras que para la mayoría de los hombres la vida interna, el movimiento del alma, encuentra expresión suficiente en la elaboración espiritual de un trozo o de un aspecto del mundo, la vida interior de un filósofo necesita para saciarse una imagen de toda la existencia. Su temperamento sólo se satisface comprendiendo como una totalidad fundamental del ser a partir del cual arrancan todas sus diversidades. Las categorías de "fenómeno" y de "cosa en sí" que permiten comprender la pluralidad de los primeros en la unidad de la segunda, o incitar a hacerlo, no eran para Schopenhauer más que la manera técnicamente más perfecta de transformar en una imagen del mundo su sentimiento vital básico.

Las formas de actividad de nuestro intelecto, con las que, según la concepción schopenhaueriana, construye el mundo cognoscible de los fenómenos, son de tal condición, que se refieren a aquel otro aspecto o forma de existencia de los fenómenos denominados la cosa en sí. Cuando el intelecto construye el mundo con el material sensible que se le ofrece, trabaja según el principio de "razón suficiente", es decir: Sea lo que quiera un objeto de nuestra intuición o de nuestro conocimiento, sólo lo es merced a otro, el cual a su vez sólo puede ser, merced a otro, un elemento de este mundo. En el espacio las cosas sólo son posibles por una limitación recíproca; el acontecer sólo lo es por medio de una causa, siendo él a su vez la causa de un acontecer inmediato; y el obrar sólo es posible por medio de una causalidad interior, a la que llamamos motivación. De manera que los objetos de la realidad cognoscible sólo pueden presentársenos como limitados, finitos, relativos; y esta forma de salir de otro, de existir para otro, de ser determinados por otro, es la forma de la actividad de nuestro entendimiento, que por medio de ella crea el mundo de sus representaciones. O dicho más exactamente: El entendimiento humano no es más que aquello que pone los datos en relaciones tales, que cada uno sólo tiene su posición y cualidades por otro; de donde resulta aquel complejo exterior y psicológico al que llamamos naturaleza en el más amplio sentido de la palabra. Pero por encima de la relatividad de estos contenidos individuales se pone, tal es la esencia del entendimiento humano, la del sujeto y el objeto en general, colocados uno frente a otro como elementos del mundo. Puesto el sujeto cognoscente, está puesto el objeto, y puesto el objeto conocido, el sujeto; ambos se determinan recíprocamente: donde el uno cesa, comienza el otro; si uno de ellos desaparece, el otro no continúa. Ésta es la fundamental relatividad de la imagen del mundo: El mundo de las representaciones, como conjunto, y el portador que determina sus formas y cualidades existen recíprocamente, cada uno de ellos por y para el otro.

Por lo tanto, el carácter fenoménico del mundo en general no es lo único que alude al fundamento trascendente de los fenómenos, a su ser, que existe por sí y no sólo para nosotros, sino que la peculiar manera en que el intelecto humano capta los fenómenos del mundo tiene que demandar un absoluto en que basarse. La relatividad del mundo de los fenómenos exige que en otro aspecto se dé como algo absoluto. Porque la relatividad no es sino una *formación* recíproca, una determinación recíproca de la *manera* del ser, y, por consiguiente, el último término necesita una sustancia, un ser en el que pueda formarse. Para que algo pueda ser dependiente —trátese de las distintas cosas entre sí, de los objetos en general en relación con el sujeto, o del sujeto, que sin objeto es una imposibilidad lógica–, para que pueda ser dependiente es menester que antes exista; cierto que la cadena de referencias de razón a razón no se detiene en ninguna manifestación empírica, sino que va al infinito; pero no podría llegar a esta combinación de relatividades si no tuviese en su fondo un ser básico absoluto. Por eso cabe preguntar por el origen de todo fenómeno, de toda combinación de fuerzas, de toda decisión espiritual; pero no puede extraerse de las series de relatividades el porqué de que haya cosas, fuerzas y decisiones en general; para eso es preciso apelar a un ser originario, que aparezca como el más allá unitario de los dos rangos esenciales del mundo natural cognoscible. Su fenomenalidad, para la cual tiene que haber un no-fenómeno, como el *en sí* del fenómeno, y su relatividad, que lógicamente exige un absoluto.

Cierto es que Schopenhauer negó su carácter absoluto; pero en ello ha de verse más bien una expresión de su hostilidad hacia la filosofía contemporánea. Frente al aparente subjetivismo con que Kant había transformado en "fenómeno" todo lo cognoscible, trataban Schelling y Hegel de dar una base sólida a la existencia, comprendiendo su contenido como exteriorización inmediata o como pulsaciones de una vida metafísica. Se liberaron de la dependencia del sujeto porque para ellos lo real tiene una absoluta objetividad, y el fenómeno empírico es una manifestación metafísica al mismo tiempo; para ellos no existe la escisión entre el mundo como representación y la cosa en sí, y con eso la existencia pasa a ser algo absoluto en cada una de sus partes. Schopenhauer tiene que rechazar un absoluto de esta clase, porque para él la realidad dada inmediatamente es una ilusión, un sueño de almas débiles, un velo extendido sobre la realidad *real*, destinado a rasgarse. Aquí se revela la diferencia entre dos tipos humanos fundamentalmente distintos. Para el uno, la propia sustancia de la existencia y su sentido definitivo llena todos los puntos en que se manifiesta con una unidad total panteísta, que hace que la divinidad del ser luzca en todos sus contenidos de un modo uniforme donde no caben gradaciones, o bien el ser absoluto del mundo se manifiesta en una serie o desarrollo que contiene dentro de sí a cada una de las distintas manifestaciones como insustituible e incomparable. Por contra, el otro tipo obtiene el espacio para lo absoluto, para lo que absolutamente es, mediante una línea divisoria trazada en el cuadro del mundo. Separa del mundo un mundo de lo no esencial, un mundo en que las raíces de las cosas no se manifiestan como tales, y donde se coloca todo lo relativo y pasajero, todo lo subjetivo y carente de sustancias. Al otro lado está la realidad que descansa en absoluto sobre sí, el núcleo del ser que para el hombre del primer tipo está en todo fenómeno, y para el del segundo está en cambio fuera de todo fenómeno en cuanto fenómeno particular. Esta oposición arraiga, no en la especulación filosófica, sino en toda la amplitud de la vida espiritual tal como se va ofreciendo en tentativas, veleidades, realizaciones parciales. Siempre que se trate de buscar teórica o prácticamente en una esfera de cosas individuales la expresión para algo esencial o principal se tropieza con esta alternativa. La unidad ha de encontrarse y cumplirse en la totalidad de los fenómenos, o si acaso se lograra con mayor perfección y pureza por medio de una separación que desde el principio excluya de aquel absoluto ciertas manifestaciones de la existencia, entonces decidirá acerca del cuadro final nuestra tendencia a la distinción, de igual manera que en el primer tipo decide el impulso a la unidad. La filosofía no hace más que recoger esta oposición y llevarla desde sus formas rudimentarias, hasta las últimas consecuencias muchas veces –es cierto– intentando satisfacer por igual ambas tendencias. Y éste es el esfuerzo de Schopenhauer. El mundo de lo individual, que es un mundo de fenómenos, pertenece, como tal, a las normas de nuestro intelecto y, por consiguiente, nada tiene que ver con la esencia fundamental y con el ser en sí de la existencia. Entre ambos existe la diferencia mayor posible, la diferencia absoluta, y el fundamento de las cosas sólo puede ser captado en su unidad y pureza, separándolo de todas las determinaciones del mundo de lo individual –cuestión esta de la que luego trataremos con más detalle–. Ahora bien: como este absoluto real es asimismo lo esencial de todas aquellas singularidades múltiples, su unidad, considerada desde el punto de vista de la realidad propiamente dicha, abraza a la totalidad plena del mundo. Así como la realidad metafísica por una parte se separa del fenómeno, pero por otra parte lo penetra también a él, se satisfacen en la representación del mundo las dos tendencias a la unidad y a la distinción. Pero, pese a que de este modo el fenómeno expresa perfectamente la existencia en su lenguaje, en la cabeza del ser que forma la representación, y a pesar del carácter plenamente relativo de todo lo empírico, esta imagen del mundo se encuentra orientada hacia lo absoluto, que Schopenhauer rechaza en términos tan enérgicos, pero del que no puede huirse más que por dos caminos: en primer lugar, acallando la sed de realidad en el fenómeno, en sus conexiones y leyes. Éste es, en mi opinión, el último sentido de la filosofía de Kant, que Schopenhauer entendió tan mal en este punto. Kant concluye: El mundo es fenómeno, y *por eso* es plenamente objetivo y real y penetrable hasta su fondo, puesto que todo más allá del fenómeno no sería sino una fantasía sin contenido. Schopenhauer deduce lo contrario del axioma kantiano del fenomenalismo del mundo. Por tanto, este mundo es algo irreal, y la verdadera realidad hay que buscarla más allá de él. Para el sentido que de ella tiene Kant, la realidad es una categoría formadora de experiencia; mas para Schopenhauer, que ansía lo metafísico absoluto, es lo contrario de toda experiencia. Kant halló el término y punto de descanso del pensamiento en la fenomenalidad de la existencia; en cambio para Schopenhauer esta fenomenalidad se convirtió en un simple medio para señalar un lugar al absoluto de la existencia, un lugar colocado más allá de aquella fenomenalidad. Lo que a Kant le sirviera para rechazar el absoluto, Schopenhauer lo empleó en legitimarlo.

El otro camino por el que puede formarse una representación del mundo que no esté acotada por el absoluto va más allá de la distinción entre el fenómeno y la cosa en sí. Para él, todo ser, cualquiera sea la categoría en que entre, consiste en relaciones. Verdad y valor, existencia y derecho, libertad y norma no son determinaciones que correspondan a un objeto por sí y que puedan ser comprendidas con independencia, sino que los objetos sólo las poseen relativamente, como una relación con otros. De la misma manera que ningún cuerpo es pesado en sí mismo, sino tan sólo en relación a otro, que a su vez sólo lo es en relación al primero, así no hay ningún principio verdadero, ninguna cosa valiosa, ninguna existencia objetiva, sino que todo esto se lo conceden mutuamente unos a otros los distintos contenidos del mundo. Y no sólo son los elementos materiales del mundo los que cada vez más, para el conocimiento progresivo, se van resolviendo en funciones, es decir, en relatividades, y se deben mutuamente todas sus determinaciones. A este punto de vista no puede hacérsele la objeción que Schopenhauer hace a la relatividad, tal como él la ve en el empirismo. ¿Dónde están las *sustancias* de las que todo esto sale, y que pudieran aparecer como sujetos de todas estas relaciones recíprocas? Pues esta objeción supone precisamente lo que el relativismo niega: el que la relatividad tenga que descansar en el absoluto. Esto no es sino trasladar a la forma general de la existencia absoluta una categoría vigente en lo práctico y pasajero que para aquélla sólo se da en capas secundarias. Sin embargo, aquí no se trata de determinar el derecho a resolver en un ser mutuo, o en relación, el ser por sí de las cosas, sino de notar cómo esta concepción total es el reverso de la de Schopenhauer, que busca, por el contrario, tras cada ser mutuo, o ser en relación, un ser por sí, y tras cada relatividad lo absoluto en que descansar y del cual servirse como justificación.

Pero como Schopenhauer se cierra estos dos caminos, tiene que buscar, frente a la condicionalidad de lo dado, un incondicional; frente a su fluir, el ser permanente; frente al fenómeno, la cosa en sí. Por lo tanto, se trata de hallar el punto en el que, para el observador, coincidan los dos mundos, y en el cual se abra desde el uno, inmediato, el paso para el otro. Y si antes la filosofía ha convertido aquella multiplicidad de la existencia de la que partíamos en una dualidad de mundos y los ha distinguido y los ha unido, tendrá que buscar el contacto y el puente que comunique ambos mundos en un solo lugar, en el alma humana, en el sujeto constituido por nosotros mismos. Tírese como se quiera la línea que separa en dos unidades opuestas a todo lo pensable, el hombre siempre participará de ambas. El mundo de las ideas y el de la causalidad en el tiempo y en el espacio; el orden divino y el del Anticristo; el mecanismo de las cosas que no conoce la finalidad, y su sentido y valor, de los cuales nosotros no podemos prescindir; la estructura natural-corporal de la existencia y del cosmos y la estructura de lo espiritual e histórico: todas estas dualidades, si no se armonizan estrictamente en el hombre, se encuentran por lo menos dentro de él; el hombre pasa de un mundo al otro, y su doble naturaleza es la garantía de que ambos mundos distintos no han de chocar sin remedio. El específico sentimiento de la vida del hombre se expresa en esto: el sentimiento de estar en el conjunto de la vida, y –en los momentos aislados– en el límite y en la decisión entre dos direcciones opuestas, o mejor dicho, de ser este límite y decisión. Lo que se llama la personalidad del hombre y lo que constituye la forma de su libertad, el no estar ligado incondicionalmente y con todo su ser a una sola posibilidad de la existencia, es quizás la raíz, y quizás el efecto de aquella dualidad que penetra toda su existencia y la forma de su representación del mundo; merced a ella se halla siempre forzado a decidir en uno de estos puntos de encuentro de las dos direcciones. Por eso la concepción panteísta del mundo de Spinoza, que rechaza toda dualidad, no tiene aplicación ninguna, por decirlo así, al concepto de la libre personalidad. Pero, de la misma manera que la categoría de fenómeno y cosa en sí es la más acabada y fundamental para reunir en su seno la distinción de la representación del mundo, ofrece también al yo la posibilidad más pura y rica para reunir en sí ambos mundos. El yo es el portador de todo el mundo de los fenómenos; los límites de éste son los mismos que los límites de la intelectualidad humana. Pero este yo, que considerado así, como la suma de sus representaciones, es en cierto modo el mundo de los fenómenos, es, por otra parte, un ser en el que radica un tal conocer considerado como función. Aunque todo el contenido del conocimiento fuese un sueño, el ser en quien este sueño se realiza es él, existe al menos realmente, aparte de lo que como realidad valgan sus representaciones. De modo que mientras el sujeto produce como un reflejo suyo el mundo de las representaciones, incluso su propia representación, visto desde adentro es al mismo tiempo una realidad absoluta. Cuando se conoce a sí mismo, se incluye en su mundo de representaciones como parte de él. Pero en cuanto es el ser que aparece como portador y llevado, objeto y sujeto absoluto, contenido y actividad engendradora del contenido, en este punto único tenemos, además del fenómeno, el más allá, y lo tenemos porque somos.

En esta posición del sujeto, como posesión común del fenómeno y de la cosa en sí, como ciudadano de ambos mundos, se basa la metafísica de Schopenhauer; y esta posición es la que determina la dirección del camino por donde llega al absoluto de la existencia. El hombre se le aparece como una manifestación corporal, como un cuerpo entre cuerpos. Su materia y sus movimientos están determinados con la misma fatalidad que los de los demás objetos; sus acciones se realizan en una causalidad rigurosa de incitaciones y motivos. Así nuestra vida intuible es, considerada de un modo puramente objetivo, tan comprensible como cualquier otro fenómeno, y tan enigmática su naturaleza interior. Pero los movimientos de nuestro cuerpo se nos presentan, no sólo de este modo exterior, sino también de otra manera completamente distinta. Son al mismo tiempo actos de nuestra voluntad. Lo que al exterior aparece como un movimiento nuestro, interiormente es una acción de voluntad; y al contrario, todo acto verdadero de voluntad es al mismo tiempo, sin remisión e inmediatamente, una enervación física. Lo que nos engaña sobre esta conexión es que confundimos las decisiones que se refieren al porvenir, o los meros deseos, con la verdadera voluntad. Sólo la ejecución constituye la verdadera decisión que hasta entonces no pasaba de ser un propósito modificable, y todos los "me gustaría" son ecos de la voluntad, pero no su realidad verdadera. Por otra parte, toda acción sobre el cuerpo es inmediatamente una acción sobre la voluntad; se llama placer cuando es conforme a la voluntad, y dolor cuando le es contraria. En la teoría de Schopenhauer, desarrollada consecuentemente, no hay dolor que no quisiéramos por ser tal dolor, ni placer que quisiésemos por ser tal placer. Esto parece *a posteriori*. Pero en realidad el dolor no es otra cosa que la violencia que se hace a nuestra voluntad; el que una impresión sea dolorosa no es la causa que hace que yo no la quiera, sino que el que yo no la quiera es el nombre propio y primario de aquel fenómeno, al que damos el nombre de dolor; y lo mismo puede decirse del placer. La voluntad y la acción no son tampoco dos cosas consecutivas en el tiempo y unidas por el lazo de la causalidad; no son más que el aspecto exterior e interior de una misma realidad. La voluntad en cuanto es lo absolutamente interior, el portador de la acción que se manifiesta, no puede nunca aparecer en el fenómeno, y, por su parte, el fenómeno de nuestra actividad está de tal manera en el mundo de los fenómenos, en el tiempo y en el espacio, que para su conocimiento científico no puede nunca apelarse a la última instancia de la voluntad fundamental. Más tarde se verá cómo se puede compaginar esto con el hecho de que nosotros encontremos en nuestra conciencia a la voluntad como miembro causal, temporal. De este modo resulta que nuestra existencia práctica se nos da de dos maneras: De una parte nos contemplamos a nosotros mismos como un objeto, como una parte del mundo de los fenómenos; pero al propio tiempo sentimos cómo estos fenómenos se producen interiormente; sentimos la voluntad que está detrás de ellos como la verdadera realidad, y que por eso no puede nunca hallarse contenida en sus formas. En este punto único se ha pasado de la esfera del mero contenido de las representaciones, o mejor dicho, se ha descubierto su más allá, que en cierto modo no está detrás de ellas, sino delante. Mientras que no hacemos sino conocer nuestra vida activa en sus manifestaciones individuales, haciéndola nuestro objeto, nuestra voluntad crea. O mejor dicho: la voluntad es aquel ser que sólo *a posteriori* se aparece a nuestro intelecto consciente y a sus formas como manifestación individual de nuestra vida. De estas dos maneras y sólo en estas dos existimos para nosotros mismos: como seres productivos, creadores a cada instante de nuestra vida práctica, como reflejos de conciencia de este ser originario y creador; como original y como reflejo al mismo tiempo. Y como no encontramos en nosotros mismos sino estas dos cosas, habrá que llamar –aplicando la fórmula fundamental de Kant– a aquello que no es en nosotros fenómeno, a la voluntad, que es el supuesto de nuestros fenómenos: el ser metafísico, la cosa en sí. Con esto Schopenhauer considera como primer portador de la distinción kantiana al sujeto mismo, siguiendo la tendencia fundamental del ser moderno de centrar en el yo todas las categorías del mundo. En nosotros mismos –única existencia que no conocemos sólo de por fuera–, se dan los dos aspectos del mundo. El hondo sentimiento que acompaña a nuestra vida de que en cada momento somos al propio tiempo espectadores y actores, fenómeno y última razón del fenómeno, criaturas y creadores, éste es para Schopenhauer el primer fundamento de la explicación filosófica de la existencia.

Para comprender en toda su significación esta voluntad, que debe ser nuestra realidad metafísica, no hay que buscarla en un acto cualquiera de voluntad determinado por un fin, sino más bien en aquello que resta, separado el querer de todos los contenidos, representaciones y motivaciones que constituyen su vestidura, su forma de fenómeno. Todas estas voliciones, ligadas a un fin singular, pertenecen a nuestro mundo espiritual empírico, que sigue el principio de razón suficiente, y que no expresa más que el reflejo de los hondos acontecimientos que en nosotros mismos se verifican; éstos en sí mismos están fuera de toda conciencia, y no saben nada de las formas singulares que toman como parte de la historia de nuestra vida en el tiempo y en el espacio. Es importante, sobre todo, separar las llamadas motivaciones que a menudo parecen agotar el acto de voluntad, y que en realidad pertenecen a la parte del mundo exterior accesible a la experiencia, y coordinado al mundo exterior. Lo que, una vez separado todo esto, quede todavía, como lo absolutamente indiferenciado de nuestros instintos e intenciones, no puede describirse con palabras, precisamente porque es el principio originario de toda vida consciente. Y esta imposibilidad se corresponde con el hecho de que en todo hombre debe existir un sentimiento oscuro de esta voluntad impulsora, colocada más allá de la esfera de nuestra existencia singular. Como aquí se trata de lo que todos somos sin distinción, la filosofía no puede hacer otra cosa sino elevar a un saber conceptual este algo fundamental, ultraterreno, que en todos resuena de alguna manera. Mas como esto, por metafísico que sea, no deja de ser conocimiento, la voluntad sale con ello de su apartamiento como cosa en sí, para entrar en la región de las representaciones. Y así se cumple la última separación y distinción, que fija el puesto de la voluntad dentro de la concepción del mundo de Schopenhauer. Si llamamos voluntad al absoluto que en nosotros se contiene, podemos ya tomar este concepto con toda la pureza y abstracción por encima de lo singular que queramos; también así será un fenómeno espiritual, una mera referencia a algo innominable. Sólo que con la voluntad, como fenómeno espiritual, se alude con mayor claridad que con otro elemento cualquiera del mundo a lo que nunca podrá ser fenómeno. Al sabernos, como sujetos de voluntad absoluta, más allá de todo contenido individual de este querer proporcionado por el mundo, no llegamos a aprehender lo inaprehensible, pero nos acercamos a ello todo lo posible; estamos en el punto en que todavía no se encuentra ello mismo, sino su manifestación; pero su manifestación más clara y sensible, en la cual, por lo menos, para hablar con lenguaje moderno, se nos ofrece en vez de las alegorías que suelen representarnos al absoluto, un símbolo de éste. Permanecemos en el mundo de los fenómenos, aun cuando tengamos conciencia de la voluntad y hablemos de ella; pero en este lugar es más tenue que en parte alguna el velo que oculta el en sí de nuestro ser; y si no se descubre por entero, al menos se ciñe más estrechamente, con menos pliegues que en parte alguna, en derredor del absoluto, que está en nosotros. Esto debe tenerse siempre en cuenta, si no se quiere tomar la metafísica de Schopenhauer por una mitología, por un antropomorfismo fantástico. Cierto que él mismo ha dado pretexto a ello, al declarar sin reservas: "La voluntad es la cosa en sí". Interpretada esta fórmula con olvido de las reservas hechas, resultará una inconsecuencia infantil, una traslación de lo empírico a lo trascendente, como en las religiones que crean dioses a imagen del hombre. Pero, en realidad, con su explicación de la voluntad no hace Schopenhauer sino dar una dirección más directa al camino del pensamiento hacia el absoluto, sin abandonar por eso el camino ordinario, que permanece siempre en lo relativo. Cuando hablamos en el sentido de la intención de Schopenhauer de nuestro ser absoluto colocado más allá del fenómeno, nos encontramos en cierto modo en una situación intermedia entre el ser y el conocer, a la que podría llamarse la situación metafísica. Mas no se entienda que se trata aquí de una mezcla de ambas cosas; esta situación es algo especial e incomparable en el fondo, lo mismo que la intuición intelectual de Schelling. Y lo que resulta en todas las especulaciones es que Dios, o el fundamento del mundo, alcanza en nosotros conciencia de sí mismo. Pues en ello está ya el sentimiento de que la conciencia no tiene aquí su objeto fuera de ella, de que el contenido de la conciencia no está separado del ser como de un mundo heterogéneo, sino que, en cierto modo, el ser lleva en su seno la conciencia.

Aquí no se hace referencia a la cuestión de la verdad objetiva de esta concepción de Schopenhauer. Siempre habrá de quedar reservada a un sentimiento incontrolable la decisión de si por bajo o, mejor dicho, por dentro de todo querer individual ha de haber aún *una* voluntad, distinta de sus varios contenidos, el correlato real del concepto general voluntad, o si este concepto no será más que una abstracción, algo así como el concepto de azul, que sacamos de las cosas azules, o como el concepto del sonido que sacamos de los diferentes sonidos. Para Schopenhauer la voluntad es semejante al vapor que mueve las máquinas más diversas. Cierto que la voluntad vive en sus actos particulares; pero lo que convierte estos actos en actos de voluntad no puede ser explicado por causas del mismo género de los que hacen existir como tales los actos particulares. En todo caso, me parece que aquí alienta un sentimiento general y hondo, aunque oscuro: el mismo sentimiento que asegura una infinitud en nosotros, que nos hace sentir como infinito a nuestro yo, aun cuando su vida no se manifieste más que en contenidos finitos. Todos sentimos que en ningún proceso particular del alma –por muy amplia que supongamos la representación, por muy enérgico que nos figuremos el acto de voluntad, y por apasionado que sea el sentimiento que en él palpita– pueden expresarse plenamente todas las fuerzas impulsivas y los profundos procesos que están en relación con un proceso particular. Por encima de cada momento de la vida del alma está la provisión de energía de donde brota; en él no queda agotada la fuerza creadora del alma. Por eso nos sentimos constantemente como un más, como algo que va más lejos que la realidad ofrecida en cada momento concreto, y la repetición continua de este sentimiento hace que cristalice en la conciencia la sensación de que nosotros somos en absoluto algo más que una cosa finita; de que en cada manifestación particular –que se hace particular precisamente por su contenido–, se expresa algo en sí infinito. A este sentimiento fundamental obedece Schopenhauer cuando ve en cada acto de voluntad, que se individualiza merced a su contenido particular, una voluntad general, que sobrepasa *a priori* toda posible individualización, y que no se considera satisfecha con los fines particulares. Schopenhauer expresa esto diciendo que se puede sin duda explicar psicológicamente por qué yo quiero esta o aquella cosa determinada; pero no por qué quiero en general, o por qué mi voluntad en conjunto va en una dirección que agota el conjunto de mi carácter. Cada acto de voluntad particular queda satisfecho en principio si se lo considera finito, pero no la voluntad general que vive en él, y que continúa viviendo después de él, porque no puede dar en él toda su vida.

La teoría de la voluntad, como lo absoluto en nosotros, tiene dos significaciones, que separadas dejan pasar entre ambas el dogma metafísico de Schopenhauer. Una de ellas es la ya mencionada: la inagotabilidad de nuestro ser total por la continuación y suma de los distintos actos particulares, el *más que esto* que se siente al lado y tras cada *esto*. En nada parece revelarse tan inmediatamente esta configuración de nuestro ser más íntimo como en la voluntad, cuyo ser espiritual consiste en el salirse de lo existente, y en el círculo infinito de cuyos objetos refleja el alma su propia ilimitación interior. No obstante, habría que preguntar si podemos conformarnos con una explicación para ese último fundamento de la vida, que en sustancia no es más que una aceptable analogía tomada de la esfera de la conciencia inmediata. Aquello que sentimos como inagotabilidad de nuestro ser, y al mismo tiempo como lo que está más allá de todas nuestras manifestaciones concretas, y que más de un sentido puede calificarse de falto de fundamento, lo mismo puede consistir en la infinitud de una concatenación lógica, que en la unidad del alma que se va realizando aproximativamente en las relaciones mutuas de sus actos particulares, pero que nunca se realiza con plenitud, o también en las relaciones con la existencia que está fuera de ella, las cuales poseen en ella una infinita posibilidad; de tal suerte, que lo que en ella acontece se siente como sugestiones de un ambiente que nos rodea, y frente al cual percibimos en forma latente dentro de nosotros otras innumerables. En resumen, es cierto que Schopenhauer sintió de un modo nuevo, y con una profundidad que no ha sido superada, el problema que primeramente formulara Fichte como oposición entre el yo puro y el empírico. En cada acto particular de nuestra alma sentimos una energía, que al propio tiempo va por encima de él, que se renueva como por sí misma, sin causa alguna exterior, un infinito absoluto, portador de nuestras finitudes y relatividades. Este sentimiento de la existencia, que no puede ser nunca expresado sino de modo imperfecto, halló en la metafísica de la voluntad de Schopenhauer una explicación cuya plasticidad hace acaso más claro el problema que ninguna otra. Sólo que esta plasticidad, en que la voluntad simboliza que la vida profunda queda más allá de toda particularidad finita, en cuanto solución del problema no le presta ventaja alguna sobre cualquier otra de las muchas posibles.

Pero, por otro lado, esta metafísica de la voluntad encierra un significado que hace de ella, aunque se rechace su exceso metafísico, uno de los pocos progresos efectivamente grandes que hasta ahora ha alcanzado el problema de la vida humana en la filosofía. Prescindiendo de excepciones tan escasas que pueden considerarse como *quantité négligeable*, en toda la filosofía anterior a Schopenhauer el hombre aparecía como un ser de razón. Sin duda que todos los filósofos están de acuerdo en que es bastante irrazonable; pero esto no es más que una desviación de su propia naturaleza, de aquello que debe ser porque ya lo es, y porque lo es, no sólo normativamente, según la aspiración moral, sino según el ser más hondo, según su más profunda realidad. El pensamiento ha trabajado siempre con este doble sentido de nuestro ser. Lo que de nosotros se demanda como la superación de nuestro ser actual es también un ser, es el ser más fundamental y más real. Toda fundamentación metafísica, o simplemente profunda, de la ética, sigue la fórmula –cuyo pleno significado comprenderemos más adelante–: Llega a ser lo que eres. Ni siquiera es una excepción aquel radicalismo religioso para el cual el hombre es, por decirlo así, una criatura de Satán, y sólo puede alcanzar un valor por gracia incomprensible de arriba; porque en esta creencia se da por supuesto como último fundamento que el hombre es una especie de hijo de Dios, un hijo perdido sin duda, pero en el cual vive una esencia mística que hace que pueda obrar aquella gracia. De este modo resulta que el ser tiene un sentido más amplio y otro más estricto, y así se produce la ilógica situación de que somos lo que no somos y no somos lo que somos; ésta es la expresión de una necesidad fundamental y característica, y acaso también de una cobardía de los hombres, que creen que no podrán soportar una exigencia o deber, si no sienten que en lo hondo de sí mismos viven ya las condiciones que los hacen realizables. Esta categoría es la que ha convertido al hombre en un ser de razón, a pesar de que la apariencia de su ser diga lo contrario. Ahora bien, el que sea precisamente la razón lo esencial del hombre y la racionalidad su función más honda, en cuyas normas están contenidos todos nuestros valores (de tal modo que hasta la moral aparece como un dominio de la razón), nace, sin duda, de que los filósofos que así piensan tienen a la razón y al conocimiento por el centro de la vida. La antigua representación ingenua de que "sólo conocemos lo igual por lo igual" recibe aquí una aplicación curiosa: El objeto tenía que tener el carácter de patrimonio subjetivo de conocimiento puesto en función, porque si no, éste creía que no podía cerciorarse de haber penetrado plenamente a aquél. El principio de Kant, según el cual las condiciones del conocimiento son al propio tiempo las condiciones del objeto del conocimiento (porque el conocimiento se forma su objeto), se ha extendido al carácter general del sujeto y del objeto, haciéndolo exceder de las determinaciones particulares de los objetos, a las cuales se refería Kant.

Schopenhauer ha destrozado este dogma según el cual la razón constituía la más profunda esencia del hombre. Aunque velado en la superficie, y aceptando o no lo que Schopenhauer pone en su lugar, eso sólo bastaría para contarlo entre los grandes creadores filosóficos y entre los descubridores de nuevas posibilidades de interpretar la vida. Mientras que antes se consideraba como el último fundamento del hombre aquella energía que encontraba su más adecuada expresión en el pensamiento y en su lógica, Schopenhauer arranca este fundamento esencial a la razón y por un giro atrevido la transforma en un accidente, en un medio o en una consecuencia del querer, que demanda para sí aquel puesto. Schopenhauer ha visto con gran profundidad que aun los contenidos de representaciones y los encadenamientos del entendimiento presuponen, como procesos espirituales, una fuerza impulsiva que viva más allá de las relaciones meramente intelectuales y lógicas de aquellos contenidos. *Cuando de determinadas premisas deducimos una consecuencia, sentimos que con ello no hacemos sino expresar relaciones ya necesarias de los conceptos, realizar una exigencia ideal que estaba contenida en ellos mismos.* Y el que nosotros la realicemos, el que traslademos a nuestro pensamiento aquella relación real, no es algo dado con los contenidos y asociaciones de los conceptos —carentes en sí mismos de fuerza, por decirlo así—, ni es idéntico a ellos. Este proceso de producción de nuestro propio ser puede tomar aquel contenido lógico objetivamente necesario, y será entonces racional; pero por su esencia verdadera estará más allá de la razón y de la sinrazón, de la lógica y de la contradicción; más bien al contrario, es a-racional, en puro sentido negativo. Porque la voluntad de Schopenhauer no está contra la razón, sino sólo fuera de ella, y por eso mismo fuera también de su contrario.

Esta inversión en el concepto de hombre, según la cual la razón deja de ser su realidad más profunda, si bien algo encubierta, para convertirse en un contenido, o si se quiere en una forma que sólo secundariamente es admitida o rechazada en el proceso de producción de nuestro propio ser —por la vida verdaderamente real—, esta inversión, es un síntoma y un factor de un movimiento muy hondo del conocimiento. Por todas partes se ha suscitado en el siglo XIX la idea de que nuestro ser, la propia sustancia de nuestra vida, sólo encuentra una expresión casual, incompleta y a menudo falsa en nuestras representaciones y en nuestra conciencia. El germen de esta convicción está en Kant, que declaró que nuestro yo empírico, es decir, el conjunto de las representaciones formadas en nuestra conciencia, eran las manifestaciones determinadas por las normas de la conciencia de una cosa en sí, que yace en el fondo de nuestro mundo espiritual, y que es tan trascendente e incognoscible como la cosa en sí de los fenómenos exteriores. Pero en Kant este pensamiento no llega a la oposición entre ser y conciencia;

en parte, porque para él el mundo empírico de la conciencia es el verdadero ser, y la cosa en sí que queda detrás de él "no es más que una idea", y en parte porque, al buscar para esta idea un contenido positivo, encuentra que la razón es el último fundamento de nuestro ser. En cambio, Marx plantea de una manera aguda la oposición: ¿Es la conciencia de los hombres lo que determina su ser –se pregunta–, o, por el contrario, es su ser el que determina su conciencia? Pero Marx trata el problema de un modo limitado, en cuanto interesa a su fin mostrar que lo que determina la conciencia del hombre es su ser *social*. Separándose resueltamente del racionalismo del siglo XVIII, con su acentuación del valor de la conciencia, se introduce en el XIX la valoración del ser como una realidad inmediata, no siendo la conciencia más que una compañera accidental e irregular suya, una luz que aparece acá y allá, ni siquiera un símbolo que acompañase a nuestro ser de un modo continuo y lo hiciera cognoscible. Esta inversión puede advertirse lo mismo en las corrientes románticas del siglo, que en las materialistas e historicistas. En la metafísica de la voluntad de Schopenhauer alienta con toda amplitud el sentimiento de que nosotros somos un algo, y de que tenemos de este ser una certeza que no es la del conocimiento consciente. Con eso se niega el racionalismo, que Kant había destronado en la esfera particular del conocimiento sustituyéndolo por la experiencia como única portadora del conocer de la realidad; ahora deja de explicar también la concepción general del hombre. Por muy ligados que estemos a la vida de la conciencia y del entendimiento, en ella no somos más que el punto donde tiene lugar un desfile de imágenes; pero no *somos* propiamente ninguno de los contenidos de estas representaciones, ya se refieran al alma o al mundo exterior. Schopenhauer tuvo el coraje de dar expresión a aquel radicalismo, en evitación del cual se había creado la concepción de que el hombre era un ser de razón: el radicalismo de que las imágenes de la conciencia, en que se manifiesta la vida empírica, no encierran la realidad de nuestro ser, no pueden tener contacto con él, porque el ser no tiene la misma esencia que la conciencia racional. Pero no le basta este ser de un modo meramente negativo; sólo desde el momento en que por su contenido ha caracterizado este ser como aquel impulso metafísico, aquella ansia oscura de nuestro ser que aparece como insaciabilidad de la voluntad, sólo por eso ha dado toda su amplitud al abismo que media entre nuestra realidad y las representaciones e imágenes de la razón y la conciencia. Y si entre ellos existe alguna unidad, es una unidad todavía más opuesta al racionalismo que aquella escisión: la unidad que deriva de que toda conciencia e intelecto son meros productos de la voluntad, instrumentos que forja para sus fines, y que por su propia determinación son dependientes de él, aun cuando en ocasiones sean infieles a esta determinación. Y de esta manera queda aniquilado el carácter racional de la vida en favor de su carácter de ser, o si se quiere, de fuerza en la voluntad misma. Si el hombre es un ser de razón, siente los valores y los fines, y porque los siente como tales, los quiere; el fin dado y valorado determina la apetencia; ésta es la concepción corriente. En cambio, para Schopenhauer el fin que estimamos, y tras el cual vamos impulsados, nace de la voluntad considerada como hecho originario. No queremos porque nuestra razón estatuya fines y valores, sino que, porque queremos, tenemos fines; porque queremos continuamente, sin propósito, desde lo más hondo de nuestro ser. Los fines no son otra cosa que la expresión o la organización lógica de los procesos de la voluntad. Así, la racionabilidad de nuestra existencia pierde el último apoyo que tenía en el concepto de fin, mientras parecía que el querer era el camino hacia los puntos previamente designados –en puro principio– por la razón. Mas ahora el intelecto no es más que la iluminación del proceso de la voluntad, que fluye de sí mismo, y al que la conciencia configura según las categorías del entendimiento, y los distintos fines individuales no son más que puntos de luz esparcidos sobre aquel proceso. De esta manera se comprende bien la afirmación anterior de que nosotros sabemos siempre lo que queremos en cada determinado momento, pero nunca lo que queremos en general, y por qué lo queremos. Ésta es una división y nueva ordenación de nuestro ser y nuestra conciencia, merced a la cual nuestra existencia no consiste en los actos singulares que conscientemente la componen; según ella, se distingue el todo de la vida de la suma de sus particularidades, y se convierte en aquella unidad de hechos que reconocemos en todas sus particularidades como su sustancia, pero a la cual sentimos, además, detrás de ellas, como el oscuro destino de la vida, el destino, que no es algo que se añada a la vida, sino la vida misma.

III. La metafísica de la voluntad

Piensa Schopenhauer que si el hombre se convierte en representación de sí mismo, en un objeto de intuición y del conocimiento, es porque al hacerlo se libera de la raíz unitaria de su ser. Se escinde de su ser cerrado en sí mismo, y se ordena, como imagen, en una amplia conexión con otras variedades que tienen, en cuanto imágenes, el mismo carácter y las mismas leyes. Estas series de lo espacial, lo temporal, lo causal, aunque sólo existen como representaciones nuestras, se extienden en cuanto representaciones, más allá de nuestro yo, por todos lados; más aún: nuestra propia representación, la imagen bajo la cual nos presentamos ante nuestra conciencia, no se forma sino por esta coordinación con otros elementos innumerables y por la limitación y la forma que se dan mutuamente unos a otros. Para Schopenhauer el círculo de la materia y la energía pasa también por nuestra existencia, como por la de los astros que giran y por la de las plantas florecidas, y la unidad de la ley de la naturaleza inserta nuestras manifestaciones tanto corporales como espirituales en la misma cadena a la que pertenecen las más bajas o lejanas creaciones de la naturaleza. Por consiguiente, deduce Schopenhauer –y con esto se eleva a explicación del ser general, desde su significación para la existencia humana, su principio del mundo–, debemos atribuir a todas estas existencias, que como fenómenos son homogéneas con nosotros, el mismo ser interior, absoluto, siendo en sí. Si los fenómenos cognoscibles son de la misma clase, puede suponerse que también será igual lo incognoscible que está en su fondo. La naturaleza entera, comprendiéndonos a nosotros en cuanto existencia objeto de experiencia, forma una como circunferencia cerrada en sí, cada uno de cuyos sectores hace referencia al otro, pero no a nada colocado por encima o por debajo; sólo en un punto único aparece en ella una línea de otra dirección, que en cierto modo la traspasa; y es el punto de nuestra existencia en que nosotros mismos, además de aparecer, *somos*; sólo en él se encuentra el radio que conduce al centro de la esfera, y éste ha de valer para todo, puesto que para una de sus partes es cierto que está ordenado, indiferenciado de todos los demás en la ley general del todo.

Schopenhauer, estrictamente interpretado, no reconoce en nosotros mismos la voluntad como cosa en sí, porque ésta es más bien lo incognoscible y la voluntad consciente tan sólo un fenómeno; pero es aquel fenómeno en el cual el velo irrompible que envuelve nuestro ser absoluto es menos denso, y de la misma manera en el resto de la naturaleza; una vez que nuestra mirada se ha dirigido en este sentido, se descubren las huellas del mismo ser fundamental. El ímpetu con que las aguas buscan el fondo, la violencia con que los polos eléctricos pugnan por unirse, y que, como los deseos humanos, se aumenta con los obstáculos, el ansia con que el hierro se une al imán, la tendencia incesante de la gravedad que atrae a los cuerpos hacia el centro de la tierra, todos estos fenómenos son manifestaciones oscuras y lejanas de aquello mismo que ansía y pugna en nosotros a la luz de la conciencia.

Viene a las mientes, enseguida, la acusación de humanizar la naturaleza, de usar en sentido realista analogías poéticas y mitológicas, de retroceder al primitivo animismo de la humanidad que en la conmoción del mar no veía sino la cólera del dios que en él moraba, y explicaba el viento como el soplar de Eolo. Pero esta crítica sería superficial resultado de una deficiente comprensión del pensamiento de Schopenhauer. Naturalmente que cada cual puede rechazar en absoluto la explicación metafísica de la existencia, y detenerse en los fenómenos del agua que fluye, del hierro que se mueve magnéticamente y del cuerpo que cae, tal como se presenta, agotando su relación espiritual con el mundo en la mera descripción de tales fenómenos, o a lo sumo en la formulación matemática de sus leyes. Al que se conforme con esto no es posible imponerle la necesidad de más, de igual manera que no puede imponérsele al hombre irreligioso la necesidad de la salvación, o al hombre antiartístico el éxtasis ante Monna Lisa o ante la Misa en do mayor. El que la necesidad metafísica sea indiscutible no debe explotarse, claro está, para poner bajo su protección cualquier fantasía insensata. Conviene acentuarlo para evidenciar que la crítica de la metafísica de Schopenhauer sólo puede hacerse desde el punto de vista de que la metafísica en general está legitimada. Admitido esto, sólo podría calificarse de humanización infantil y supersticiosa la explicación que hace Schopenhauer de toda existencia natural como manifestación de una voluntad, si él viera la voluntad en la naturaleza tal como se aparece en nosotros, a la manera de un hecho de conciencia empírico. Pero Schopenhauer no incurre en tal error de método. Por voluntad absoluta entiende aquello que está en el fondo de la inmediata satisfacción de la voluntad en nosotros. No traslada un hecho de la esfera de experiencia psicológica a lo trascendente, que está separado de toda experiencia en general. Verdad es que semejante error es tan frecuente en la religión y en la metafísica que acostumbra a presentarse en la crítica de la metafísica como hecho firme y forma valedera *a priori*. Pero en Schopenhauer el pensamiento metafísico no fluye por debajo del fenómeno psicológico humano ni del físico. Entre ambos sólo existe una diferencia de grado: la voluntad psicológica, por ser consciente, ofrece al pensamiento consciente su ser más íntimo super o infrapsicológico, en mucho mayor medida de lo que ocurre con los fenómenos meramente materiales en los que para nosotros consiste la naturaleza. Sin duda que nuestras adivinaciones y explicaciones metafísicas tienen que ahondar en grado diverso por debajo de la superficie de la existencia, cuyas partes se nos aparecen a nosotros a diversas alturas. A través de la experiencia acerca de nosotros mismos brilla su núcleo no empírico en forma más clara y distinta que cuando se trata de manifestaciones no psicológicas. Y por eso, en el supuesto de que aquel núcleo del ser sea el mismo para sus manifestaciones psicológicas y para sus simples manifestaciones exteriores, las primeras servirán legítimamente para explicar las segundas. Aquí tropezamos con uno de los escasos puntos en que Schopenhauer ha sido con frecuencia mal entendido. No se ha prestado bastante atención a su distinción entre la voluntad metafísica y la voluntad como manifestación de la conciencia; no se ha comprendido con bastante claridad que este hecho de experiencia psicológica, por mucho que pueda interpretarse en nosotros lo absoluto, lo eternamente inasequible, no hace sino aproximársele, pero sin llegar jamás a coincidir con ello. Nunca adaptó, pues, Schopenhauer a formas empíricas humanas el fundamento metafísico de las cosas –que está por encima de nuestra apariencia, como de toda apariencia–, sino que, por el contrario, edificó lo humano, como todo el resto, sobre el cimiento de lo metafísico. Al hacer que el mundo se configure por el amor y el odio de los elementos como Empédocles, al hacer del bien de la humanidad el fin creador de toda existencia como la metafísica teleológica, al aceptar que el Dios que crea y dirige el mundo sea determinado como nosotros por motivos y afectos, se reduce el mundo al denominador hombre. Por el contrario, Schopenhauer ha reducido al hombre al denominador válido para el mundo, y sólo en el hombre, en el que se cortan el plano de aquel denominador y el de las apariencias, sólo en el pensamiento encontró la posibilidad de una tal reducción.

Si era injusto por lo tanto, querer rebajar a Schopenhauer al nivel metódico de un animismo primitivo-poético, por otra parte, es cierto que su metafísica contiene presupuestos que pertenecen en forma exclusiva a la creencia personal. Y ante todo, el supuesto –que nada dice del contenido que se dé a la explicación de la existencia– de que lo absoluto, lo en sí de los fenómenos sea precisamente lo mismo para todos ellos. Sin duda que para Schopenhauer, cuyo punto de partida es idealista, esto se da por sobreentendido. La disociación de las cosas en pluralidades sólo es posible en el tiempo o en el espacio; nuestra representación sólo puede contener el ser múltiple como una coexistencia en el espacio o como una sucesión en el tiempo. Pero como éstas no son sino formas de la representación, el ser en cuanto no está representado debe encontrarse libre de ellas. El ser no puede contener pluralidad alguna; no es uno en el sentido del uno individual, al lado del cual hay otro; la diferencia frente a un segundo o un tercero no existe con respecto a él; su unidad no es aislamiento de una pluralidad, es la unidad absoluta que sólo en las formas de nuestro intelecto se esconde bajo una pluralidad de representaciones. Por ello, si el ser que no es representación puede ser aprehendido en un punto, éste será el punto en que todas las representaciones tienen su esencia, que no es representación. En el plano en el que sólo existe una unidad, todos los radios que van desde los fenómenos varios hasta esta unidad deben cruzarse en ella. Se manifiesta aquí una conexión profunda entre la metafísica del ser fundada en el yo, y el pensamiento monista, o si se quiere panteísta, de la unidad metafísica de este ser. El yo, para el cual la existencia es conciencia, no podría servir nunca como intérprete del ser total, de puente hacia él, si entre ambos no se estableciera una identidad de naturaleza. Esto es aplicable incluso al idealismo de Fichte, en el cual el yo es lo único absolutamente existente, y produce el mundo como su representación. Pues tal cosa resultaría imposible si el yo creador y representador no se supusiese al mismo tiempo como algo creado y representado, como la personalidad empírica que se da en el mismo nivel con sujeción a las mismas leyes y con la misma estructura esencial que la piedra que cae o el pez que nada en lo profundo del mar. Toda existencia debe formar en sí y con el yo una unidad perfecta, caracterícese como se quiera, si ha de hallar en sí y en su contenido el punto a partir del cual puede el pensamiento explicar la totalidad de las cosas. La mutua relación y dependencia de los contrarios, a la que no puede sustraerse la unidad de criterio más radical, no se percibe en ninguna parte con tanta claridad como en esta inclusión del pensamiento de la unidad-todo en las doctrinas que encuentran en el yo el fundamento del conocer y hasta el fundamento real de todo ser.

Para tasar ahora en su valor esta convicción de la unidad metafísica de todas las cosas –uno de los fundamentos de la concepción total schopenhaueriana del mundo– es preciso percatarse de que Schopenhauer establece sin razón su necesidad lógica. En conclusión toda pluralidad existe en el tiempo y en el espacio; el espacio y el tiempo no son más que maneras de comprensión de nuestro intelecto; luego aquello que por su concepto no puede caer dentro de la esfera de nuestro intelecto, no puede ser una pluralidad, sino una unidad absoluta: esta conclusión no es legítima. Ante todo, no es exacto que la pluralidad de lo real sólo pueda existir en la sucesión del tiempo y del espacio. Nuestra conciencia no vive exclusivamente, como supone un error tradicional, en la sucesión, en el tiempo de sus elementos. Cuando yo pienso: vivir es sufrir, sin duda que el contenido de conciencia "vida" precede al contenido de conciencia "sufrir". Pero además de esta relación de la distinción por razón del tiempo, tienen en mí ambas representaciones la relación de la contemporaneidad y de la coincidencia, que es lo que hace que ambas formen un juicio, cosa que les presta un sentido de unidad. Si fuesen en rigor sucesivas, esto es, si una de ellas desapareciese tan pronto como apareciera la otra, nunca podrían constituir una proposición. Nuestra alma posee la capacidad misteriosa, que no obstante se manifiesta de un modo completamente empírico, de unir en un pensamiento absolutamente unitario a una pluralidad de elementos, de los que ha adquirido conciencia sucesivamente; en el sentido pensado de la proposición "vivir es sufrir" no hay antes ni después; es una conformación de lo vario que no necesita del tiempo ni del espacio, ni de cualquier otra manifestación del principio de razón suficiente. Por tanto, aunque desapareciesen, suprimidas todas estas conformaciones, no quedaría tan sólo una unidad absoluta, trascendente, sino aquella pluralidad relacionada de un modo especial. En la incomparable creación del juicio humano, la unidad y la pluralidad viven unidas de modo tan maravilloso, que la pluralidad de sus elementos sobrevive a la supresión de toda representación en el tiempo y en el espacio; y, por otra parte, la unidad que vive en él es en sí todo lo absoluta, todo lo independiente de cualquier oposición y relatividad como Schopenhauer pensaba que sólo en lo trascendente podría hallarse. La lógica aparente de aquella conclusión es también inexacta en otro aspecto. Lo que caracteriza al fenómeno es la diferenciación y la pluralidad; por tanto, lo que caracterice a la cosa en sí tiene que ser la unidad. Porque el que toda la existencia se encuentre sometida a las categorías de fenómeno y cosa en sí, no ocurre con aquella indiscutible necesidad que supone Schopenhauer, y con él toda la filosofía que deriva de Kant. Que lo real, lo existente, sea en uno *conciencia* no pasa de ser una hipótesis que somete lo real inmediato al dominio del alma de un modo que sólo al moderno subjetivismo puede parecerle como evidente. El que "el mundo sea mi representación" no es tan evidente *a priori* como Schopenhauer supone. Presupone de antemano que la categoría de sujeto y objeto, válida *dentro* del mundo real empírico, lo abrace y lo contenga dentro de sí considerado como todo. Pero aun aceptado esto, concediendo que todo lo que aparece como fenómeno de las cosas debe quedar excluido de su ser, se seguiría de ello, sin duda, que no podría considerarse como la esencia fundamental de los fenómenos de la experiencia esta pluralidad y diferenciación en que se revelan; pero en modo alguno que esa esencia fundamental hubiera de ser única. Nos hallamos ante una falta lógica típica: la de suponer que con la negación de un concepto queda ya sentado otro más positivo. La cual se expresa en proposiciones tan frecuentes como éstas: Lo que no es finito tiene que ser infinito; el que no sea altruista ha de ser un egoísta; lo que no puede disociarse en partes, es imperecedero. Y hasta toda aquella teoría y práctica colocada bajo la divisa: el que no está conmigo está contra mí. Pero ocurre que el conocimiento progresa de tal modo, que no permite encajar las cosas dentro de tales dualidades; que la negación de un término no es idéntica con la afirmación del otro. El *tertium non datur* no puede afirmarlo nunca el entendimiento humano con seguridad absoluta cuando se trata de dos determinaciones positivas, porque siempre existe la posibilidad de que aparezca una tercera que, excluida la primera, pudiese entrar en su lugar, en vez de la segunda, que se había considerado hasta entonces como inevitable. Tal ocurre con la conclusión de Schopenhauer de que todo lo que no sea fenómeno haya de ser unidad. Concedamos que la pluralidad, la individualidad, la diferenciación, tal como las observamos en la experiencia, no puedan ser patrimonio más que del fenómeno, esto es, de las representaciones determinadas por las formas de nuestra conciencia; y que, por lo tanto, lo que está más allá de las representaciones, la cosa en sí, no pueda tener estas características; aun en ese caso, sin duda que el absoluto puede ser una unidad; pero también puede ser perfectamente una manera de individualidad y de *ser por sí particular*, tan distinta del carácter del fenómeno, tan poco empírica, tan absoluta e incognoscible para la conciencia como pudiera serlo aquella unidad.

Aquí se encuentran frente a frente dos posibilidades metafísicas, cada una de las cuales penetra hasta lo más profundo del sentimiento de la vida, y que se prestan mutuamente plena luz. La pluralidad y disociación del mundo de los fenómenos es, como Schopenhauer repite constantemente, relativista; es decir, que cada una de las manifestaciones del mundo de los fenómenos está limitada en el tiempo, en el espacio, o en relación de causalidad por otra, y sólo por medio de esta limitación adquiere su carácter peculiar; las cosas se prestan mutuamente su configuración individual; en el flujo del devenir aparecen como olas, cada una distinta de las demás y, sin embargo, determinadas por las mismas leyes, dependientes del ritmo de todas ellas, las más próximas y las más alejadas, y determinando a su vez la forma de las demás. Muy otra es la esencia, completamente opuesta de la individualidad metafísica, de las unidades absolutas, con las cuales la especulación construye el ser más allá de las imágenes empíricas de las representaciones. En este mundo cada elemento descansa en sí mismo de un modo absoluto; su vida y su configuración son la expresión de su propio ser interior, y no como en el mundo de experiencia la expresión de sus relaciones recíprocas con otras existencias. Dentro de ese mundo cada trozo de él es, y es de tal modo tan sólo porque existen otros; por el contrario, la individualidad absoluta, cuyo tipo está en el sentimiento del ser por sí, libre, de nuestra alma, es un elemento último del ser y no dimana de otro alguno, ni está sujeto a ninguna necesidad relativista; una individualidad así puede ser igual a otras, o única en su género; pero su ser nunca será determinado por otras, sino que es su realidad interior independiente en principio de todas las demás. Es un característico sentimiento de vida el que se expresa en el hecho de que al buscar en el fondo de las cosas con este criterio no se encuentra una sola unidad, sino unidades, y en este sentimiento coinciden las filosofías por lo demás tan distintas de Leibniz y Schleiermacher, de Herbart y Nietzsche. En cambio, si la imagen del mundo la forma el sentimiento contrario, entonces hay que aplicar la fórmula definitiva de Spinoza: *Omnis determinatio est negatio*. De este modo la individualidad, la *determinatio*, se pone en la conexión de las cosas, en la limitación que recíprocamente ejercen unas sobre otras, y merced a la cual hallan su forma particular, porque un ser no es aquello que los otros son, y sólo por ello es lo que es. Se supone así una unidad de todo ser, dentro de la cual las formas particulares sólo aparecen como escisión, es decir, por un parcial no ser. Y como el ser real, absoluto, no puede contener ningún no ser, no puede tener tampoco ninguna forma individualmente determinada. En su esencia más honda y auténtica todas las cosas son idénticas entre sí. Pero, sea que la forma individual, que se ofrece como hecho, surge sin otra explicación posible de aquel ser, o bien que el contenido de una concepción imperfecta meramente subjetiva, o la separación, el existir por sí del individuo, se considere como una especie de pecado místico, lo individual siempre tendrá su asiento en la capa superior, secundaria de la imagen del mundo y nunca será otra cosa que la escisión ulterior, por decirlo así, de aquel ser absolutamente unitario, en cuyo fondo –el último al que nosotros podemos llegar– no penetra. Por el contrario, la esencia del individualismo metafísico es precisamente la extensión de la forma particular de la existencia, hasta su último fundamento, más allá de la superficie de su manifestación empírica. En esta concepción del mundo, la individualidad es aquella forma de la existencia particular que no existe merced a una limitación e influjos mutuos de varias particularidades, sino merced a un principio interior y de un derecho propio; existe en sí y por sí, es decir, tiene la misma característica que en la otra concepción distinta que llega a la unidad total desde la mera relatividad y caracterización recíproca de los hechos de la experiencia.

Con esto resultará claro que la deducción que hace Schopenhauer, al sacar la unidad del ser del mundo de la pluralidad de los fenómenos, no posee necesidad lógica y deja espacio a una tercera alternativa. La pluralidad absoluta del ser yace tan profundamente bajo la relativa pluralidad del mundo empírico como la unidad metafísica del mundo de Schopenhauer, y puede deducirse, lo mismo que ella, de la pluralidad de los fenómenos. El decidirse por una o por otra posibilidad del pensamiento ya no es cosa del pensamiento mismo, sino del sentimiento fundamental de la personalidad entera. Dependerá de que el sentido general que cada cual tenga del mundo se satisfaga mejor poniendo en su fondo una unidad incondicionada o una infinita variedad de unidades independientes una de otras.

Conviene observar que en la metafísica de Schopenhauer no hay lugar para el concepto de personalidad. La personalidad queda, por decirlo así, entre el yo como representación y el yo como voluntad. Sin duda que el mundo de las representaciones es el lugar de la individualización, de la escisión de la existencia en seres individuales separados unos de otros. Pero esto no da individuos en el puro y absoluto sentido de la palabra. En el campo de los fenómenos las existencias individuales no se constituyen por una limitación recíproca, por una existencia propia que salga de su esencia íntima; la forma de cada cual sale de tener un vecino antes y otro después, uno a la derecha y otro a la izquierda; uno más arriba y otro más abajo, y no por una necesidad interior propia de él e independiente de todo influjo exterior. O mirado desde otro punto de vista: En la naturaleza, considerada como el complejo de los fenómenos cognoscibles, vive una corriente de energía y materia que arrastra a cada cual en su continuidad. Objetivamente no existe aquí una delimitación propiamente dicha del uno por el otro; una necesidad eternamente activa hace que el uno pase al otro de tal manera, que sólo es posible hablar del "uno" y del "otro" para nuestra representación que –secundaria aquí, por así decirlo– va trazando líneas divisorias, las cuales no existen en la estructura objetiva de las cosas, que es también representación, pero en sentido primario. Por medio de análisis y síntesis de los elementos de los fenómenos vamos creando seres individuales. Por eso los fenómenos individuales designados como "uno" no son en cuanto tales, más que algo ideal, que se introduce a causa de aquella razón meramente subjetiva, en el flujo de la existencia natural, absolutamente unitaria y que no conoce delimitación objetiva alguna. Por eso, en el campo de los fenómenos no puede haber ningún yo, en el sentido de Schopenhauer, que con su propia sustantividad interior se oponga al mundo con los demás yoes; pero tampoco puede haberlo en el fundamento metafísico de las cosas tal como él lo piensa. Aquí lo mismo que allí, sólo que en otra forma, la personalidad desaparece en una unidad para la que no existen límites, y dentro de la cual la personalidad sería una contradicción lógica. Pues la personalidad, tomada en su concepto plenario, es lo único que puede ofrecer un "*pendant*" al todo del mundo, porque posee al estar cerrada en sí misma y bastarse a sí misma, el existir por propio derecho y la forma permanente, de la que puede fluir una infinidad de contenidos. Sólo la obra de arte posee esta unidad y perfección, este pleno reposo en sí misma. Precisamente esta forma, merced a la cual toda obra de arte es "un mundo por sí", y simboliza la totalidad de la existencia, la debe al alma personal que ha estampado su esencial manera en ella. Pero, en su tendencia a negar la personalidad para salvar la unidad absoluta del ser, repite Schopenhauer la singular consideración de que la estructura o la función de las cosas, que se considera como su ser propio y absolutamente real, vale al mismo tiempo como exigencia que las cosas tienen que realizar. Esto depende de que el profundo dualismo, que constituye la forma fundamental de nuestro ser, se objetiva en todas direcciones en la construcción de dos mundos que están el uno sobre el otro, pero al propio tiempo también el uno contra el otro. Un mundo de la superficie y otro de la profundidad, uno del acá y otro del allá; uno de la apariencia y de la verdad el otro; uno de la experiencia y otro de la cosa en sí. Ahora, lo que es real en uno de ellos es, por decirlo así, lo real en verdad; pero también lo otro es real de alguna manera o en alguna medida; al fin tiene una forma, por leve o engañosa que sea, que puede coincidir o contrastar con la realidad del otro. Y como estas dos dignidades del mundo no se separan plenamente, sino que se siente que en ambas vive un ser común, y particularmente el hombre siente que vive como una unidad en ambas, nace esta exigencia, aparentemente ilógica, de realizar lo que ya está realizado en la realidad más profunda. Así la estructura del ser absoluto en

Schopenhauer es de tal naturaleza, que en él no encuentra sitio la personalidad individual, y, sin embargo, al propio tiempo el problema de nuestra actividad y de la construcción de nuestra vida consiste en suprimir esta personalidad. Ya expondré cómo ésta es la última formulación de las salvaciones que nos están concedidas frente a la existencia; la estética, en la que el sujeto se pierde completamente en la idea de la cosa, en el contenido de la representación; la ética, en la que el yo anula toda diferencia con los otros yoes, y la ascético-metafísica, en la que el alma sumerge su individualidad, su ser por sí, en la indiferenciación de la nada. De esta manera, no contentándose Schopenhauer con ignorar o negar el concepto de la personalidad, sino convirtiendo luego su anulación en el contenido de todo deber, se perfecciona la profunda enemistad de su concepción del mundo contra toda individualidad; en él quedan enteramente cortadas las raíces con las que se llega en otras concepciones metafísicas hasta el fundamento metafísico de toda existencia, la particularidad, el pertenecerse a sí mismo, la soberanía del ser individual.

Ahora bien: Schopenhauer deduce el carácter propio de toda vida de que la esencia fundamental del mundo –a la que llamaremos voluntad por ser la voluntad su expresión más clara– sea en sí absolutamente unitaria, o que, visto de otra manera, la unidad de la existencia sea voluntad. A partir de ahí se determina en el primer sentido toda la armonía y el orden del mundo de los fenómenos. Para Schopenhauer, el que la planta y el suelo, el animal y la alimentación, el ojo y la luz se correspondan, el que las partes de un organismo y las fases de su evolución estén en conexión conceptual unas con otras, no es más que la unidad del ser expresada en el tiempo y en el espacio. En todo ello vive la voluntad, y ésta no puede ser otra cosa en los seres vivientes que voluntad de vivir, manifestándose la unidad fundamental de la voluntad en la conexión de todas las manifestaciones distintas en la que el intelecto la escinde. Se es injusto para con esta explicación típica de toda la metafísica y base de toda la obra de Schopenhauer, cuando se quiere ver en ella una especie de competencia desleal hacia la explicación causal de las ciencias naturales. Las esferas de ambas explicaciones no se tocan. Puede explicarse de un modo mecánico la armonía normada de todo lo que ocurre; se puede explicar la adaptación de los organismos a sus condiciones de vida de un modo darwinista u otro análogo, en que aparezcan unidas en relación causal fenómenos con fenómenos. Con esto no se responde de ningún modo a la cuestión de por qué haya de existir una explicación general suficiente para las necesidades de las ciencias naturales. Estas ciencias explican por sus leyes todas las conexiones particulares dadas, pero no el hecho general de que los elementos del mundo estén en una conexión normada. Puede negarse desde luego esta cuestión o declararla insoluble, pero no puede rechazársela suponiendo que no satisfaga las exigencias de otro problema que no pretende resolver. Porque únicamente habría que protestar contra ella si se confundiese con la explicación de las ciencias naturales o quisiera suprimirla –de lo cual, por cierto, no todas las metafísicas se han librado–; pero en realidad aquí nada tiene que ver una cuestión con otra, de la misma manera que nada tiene que ver la cuestión de por qué los austríacos vencieron en Hochkirch a Federico II, y en cambio fueron vencidos por él en Liernitz, con la cuestión general de por qué los hombres luchan. Para la explicación de hechos físicos, dice en forma terminante el propio Schopenhauer, sirve tanto acudir a la voluntad a la que está sometida toda la naturaleza, como acudir a la fuerza creadora de Dios. La física pide causas, y la voluntad no es nunca causa; su relación con el fenómeno no es la de causa a efecto, sino que lo que en sí es voluntad, es de otra manera un fenómeno, que para ser producido necesita de otro fenómeno. La cadena de la ciencia así formada, no puede ser interrumpida nunca por la potencia metafísica de la voluntad; sólo el que sea una cadena y, en general, el que haya un mundo comprensible en esta forma, si no es producido por la voluntad como cosa en sí, al menos es la manifestación de que esta voluntad existe, y se explica merced a ella la relación entre los fenómenos, no al modo de la relación causal, de forma análoga a como comprendemos psicológicamente los actos individuales del hombre unos por otros; el contenido de cada uno de estos actos no se explica en manera alguna por el hecho de que el hombre tenga un alma, y, sin embargo, esta alma inintuible e indemostrable –ya que inmediatamente cada hombre no es para los demás más que una serie de sensaciones de vista, oído y tacto– constituye el fundamento sin el cual no se llegaría a aquella cadena comprendida psicológicamente.

De la misma base metódica se deduce también la consecuencia de la unidad de la voluntad metafísica, opuesta a aquella armonía. De ella se desprende que la voluntad que mueve de fuera adentro el mundo, o, para decirlo mejor, que agota su esencia, no puede tener ningún fin definitivo, ni llegar en ningún punto a una real satisfacción. Pues la voluntad, por lo mismo que en la unidad absoluta no tiene nada fuera de sí en que pudiera aplacar su sed y calmar su inquietud, no puede hacer más que consumirse a sí misma, y por eso cada ser necesita de otro, destruye a otro su posibilidad de vida para aprestarse de inmediato a un nuevo robo. La voluntad de vivir se convierte, bajo miles de disfraces, en su propio alimento; la aparente diversidad de estas vestiduras le proporciona una satisfacción momentánea, pero en realidad nunca encuentra nada que no sea ella misma, porque fuera de ella nada hay. El lugar en que reside la más alta conciencia, el género humano, es el teatro de la mayor elevación de este consumirse a sí misma de la voluntad, cuya unidad impide que pueda saciarse. Los hombres consideran a la naturaleza entera como destinada para su consumo, y entre ellos alienta, mal disimulada, y apaciguada sólo en momentos de tregua, la lucha de todos contra todos. El hecho de que la humanidad en su fondo más profundo sea una unidad metafísica, y de que esta unidad sea voluntad, es precisamente lo que determina que las manifestaciones distintas en que se escinde destruyan su recíproca voluntad; la una tiene que querer, esto es, querer vivir a costa de la otra. En cierto pasaje, Schopenhauer expresa así con gran profundidad la tragedia de la vida: siendo la voluntad la realidad absoluta de la vida, su apetencia absoluta no puede satisfacerse plenamente con parte alguna, sino sólo con el todo; pero este todo es infinito, de manera que no puede ser satisfecha en ningún momento dado de la vida. A la voluntad le es indispensable la escisión consigo misma, porque se saca siempre de sí misma, aspira a sacar de cada ahora y cada aquí, a un luego y un allí, mientras que su unidad impide que esta disyunción se apacigüe realmente, que uno de los miembros adquiera quietud en el otro. El momento en que se encuentran el deseo y su objeto no puede ser sino el comienzo de una nueva volición, ya que también el objeto, en el último fondo de su ser, es precisamente el mismo ser de voluntad que aspira a él. Cada acto de voluntad que se muestra en el mundo de los fenómenos por la individualidad de su contenido tiene fin y objetivo; todos los hombres saben en cada momento determinado el porqué de su hacer actual. Pero si se le preguntase por qué quiere en general, tendría esta pregunta por incontestable e inadecuada, probando con esto que para él su querer se comprende por sí mismo; allí donde cesa el porqué estamos en el reino de lo último y absoluto, que sólo en el porqué se hace finito. También se sabe respecto de cada movimiento físico de dónde viene y adónde lleva, pero no la razón de que existan en el mundo el movimiento y su actuación en general. Esta infinitud e insaciabilidad de la voluntad, originada en el hecho de que metafísicamente es una, y de que fuera de ella no hay ser alguno, la ve expresada Schopenhauer con la mayor claridad en lo inorgánico, en la fuerza de gravedad, el símbolo del ansia constante, para la que no puede haber objetivo alguno asequible. Pues aunque lograse encerrar en un pedazo apretado toda la materia, en su interior la gravedad tendría que luchar con la impenetrabilidad, mostrando así el rasgo capital de la materia, como una aspiración que puede ser impedida, pero no aquietada. Y en el otro polo de la realidad, tampoco el deseo del hombre se satisface con el cumplimiento de sus deseos. El querer no puede ser satisfecho; lo único que puede ocurrir es que cambien los objetos que la conciencia le presta. Por eso nos parece a menudo como si la consecución de un fin inmediato satisficiese definitivamente a nuestra voluntad, mientras que esa consecución nos produce un desengaño a la corta o a la larga, abierta o veladamente, dejando el puesto a otro deseo. Pues la voluntad es incapaz por naturaleza de hallar nunca paz en nuestro querer; lo único que puede llegar a término y quietud son los contenidos y motivaciones singulares, pero éstos yacen en una capa distinta, sin que su fenecer y modificarse alcance al querer mismo, por más que éste se manifieste por medio de ellos. Nuestro infinito apetecer en deseos, cada uno de los cuales parece concedernos todo cuanto ansiamos, sin que ninguno nos lo conceda, no es más que el aspecto aparencial de la infinitud de la voluntad. Su unidad la condena, y con ella a la existencia entera, a encontrarse siempre a sí mismo y no a su satisfacción.

En la mera forma de presentar la imagen metafísica del mundo, aparecen en la filosofía de Schopenhauer, más hondamente enraizados que en otras filosofías, el desconsuelo y la falta de esperanza en la vida. El reducir a una unidad absoluta la pluralidad múltiple de la realidad tiene en sí un color optimista. De la confusión y oposición que reina entre los elementos de la existencia y de su indiferencia y extrañeza recíprocas, más difíciles a veces de soportar que su lucha abierta, nos redime el pensamiento de que todo es fenómeno y apariencia, mero acaso o superficialidad inesenciales, más allá de los cuales la existencia es un único y mismo ser, se reúne en una sola raíz, y no resulta afectada, en su sentido verdadero, por la forma de la pluralidad y la oposición. Las representaciones metafísicas del ser que ponen en su último fundamento una pluralidad de elementos, sólo pueden expulsar de su concepción del mundo la lucha y la división, negando a dichos elementos toda relación mutua. Si los unos no actúan sobre los otros, si cada elemento es un mundo por sí, el todo no estará sometido a la alternativa de guerra o paz. Ahora, cuando la variedad y abigarramiento de la experiencia aparece fundida en una unidad trascendente, reina en el mundo una paz divina con la vida, como en Spinoza, o la reconciliación producida por la armonía estática, como en Schelling. Lo trágico en la filosofía de Schopenhauer es que la unidad y la igualdad esencial de todo ser, que según su significación formal es la garantía de apaciguamiento y de un sentimiento sosegado del mundo, al determinarse su contenido como voluntad lleva en su seno la escisión, la lucha, el anhelo insaciable. Con esto se ha introducido en el punto radical unitario de la vida —cuya unidad, sólo por serlo, concedería en otro caso a la existencia y a su reflejo espiritual la tranquilidad suprema y la quietud–, la lucha por la existencia y el huir de ella, el ansia perpetua sin fin ni objeto, la escisión irreconciliable entre todo presente y lo que nosotros *propiamente* queremos. La forma con que todo monismo presta quietud, firmeza y paz a su concepción del mundo, se transforma aquí por razón de su contenido en lo contrario, en el ansia e inquietud perennes y en la contradicción interior. Al mismo tiempo, aparece aquí, por vez primera en Schopenhauer, la profunda incongruencia que existe entre la explicación sentimental metafísica del mundo y la forma de la ciencia. En casi todos los filósofos anteriores esta incongruencia se mantenía oculta, porque consideraban a la razón, que es al mismo tiempo el vehículo de la ciencia, como el medio o contenido de aquella explicación. Como hombres científicos que eran, permanecieron en armonía con el mundo que se les revelaba, especulativa o místicamente, como una realización de la razón. Mientras el ser absoluto del mundo se consideraba como razón, la razón aparecía como facultada para abrazar el mundo en sus formas lógicas y sistemáticas; unas veces era la razón divina, otras la lógica hipostasiada en que consistían las ideas platónicas, otras el ser interior de todos los elementos del mundo, como en Leibniz, otras la razón del yo que en Fichte producía el mundo. Hasta Schopenhauer, se ha tratado siempre de encerrar el mundo en un conocimiento conceptual, en el entendimiento científico; por eso hasta llegar a él no se concedió su debido puesto a aquel impulso metafísico y más hondo, oculto en esta forma científica, con su relación completamente distinta, inmediata a la existencia, con su interior extrañeza respecto de todo el saber lógico del entendimiento. Mientras se creía que el contenido de la concepción del mundo era conforme a razón, no se comprendía que el último fundamento del mundo no pudiera alcanzarse por el camino de la intelectualidad; sólo la doctrina de que el fundamento del mundo es conforme a voluntad y, por tanto, absolutamente irracional hizo ver el dualismo que existe –por más que en algunas individualidades logre armonizarse– entre el hombre científico y el metafísico, y la escisión que produce en la espiritualidad de la vida.

Pienso que puede hallarse una relación más profunda de esta determinación negativa, esta mera negación de la racionalidad de la existencia, con su realización positiva contenida en la metafísica de la voluntad. Para comprenderla distinguiremos entre aquellas manifestaciones del ser que pueden ser derivadas casualmente y reunidas conceptualmente, y el hecho de que *son* la forma del ser mismo en el que forman la realidad. Todas estas individualidades designables de la existencia pueden penetrarse hasta el fondo en lo que a su determinación cualitativa se refiere. Por eso, Hegel pudo llamar racional a toda la realidad. En principio, la razón puede ordenar en sus normas a todo contenido de la existencia, puede dominar lógicamente a todo aquello que se determina por sus cualidades; la misma razón que se nos presenta a nosotros como pensamiento determina y ordena las cosas objetivas, porque si no, nuestro pensamiento no podría llegar a la verdad de las cosas. Pero este comprender que conforme a razón deriva y reúne, no sirve si se trata de aplicarlo al ser mismo. El que las cosas cuyas determinaciones vemos en sus recíprocas relaciones, y en la necesidad con que las unas se producen una vez dadas las otras, el que las cosas *sean*, es un *factum* impenetrable, que puede ser aceptado, pero no comprendido, frente al cual se retiene nuestro entendimiento. La necesidad que existe para que los contenidos se condicionen de la manera dada, no existe en modo alguno para el hecho de que existan realmente; pues no sería contradictorio que no existiese ser alguno, y sería tan comprensible como que exista uno, esto es, no sería comprensible. Por eso Hegel, a quien le interesa construir espiritualmente los contenidos del mundo, equipara al ser puro con la nada pura, aun cuando admite que entre ambos existe una diferencia, pero una diferencia inefable, y no susceptible de ser encerrada dentro de un concepto. Esta incomprensibilidad lógica del concepto de ser determina que cada uno de los distintos sentimientos de la vida lo interprete a su manera. En Spinoza se percibe el éxtasis, revestido de una forma racionalista, que suscita el milagro del ser; todo lo individual desaparece en este abismo del ser, pues todo lo individual significa determinación cualitativa, y, por consiguiente, en tanto que es individual no es ser. En esta pasión por el ser, para la cual Dios no es más que una mera expresión, no puede tolerar que exista todavía algo más que no sea el puro e ilimitado ser. La irracionalidad del ser se esconde a su conciencia científica, porque todavía no ha visto aquella distinción fundamental entre el contenido de las cosas y su ser, y hace representar esta distinción por lo particular y lo general en las cosas. El que esté dominado por la profundidad mística del ser es al mismo tiempo causa y efecto de que no se le aparezca todavía el ser como algo lógicamente impenetrable. Y para que pueda ser comprendido racionalmente lo llama *causa sui*, es decir, declara que lleva en sí la causalidad que hace que las cosas sean comprensibles; el ser no es comprensible en ningún otro –pues no existe "otro" alguno–, sino únicamente en sí mismo. En cambio, Schopenhauer está penetrado hasta el fondo por el oscuro destino del ser; no es que el ser traiga una fatalidad consigo –lo cual también ocurre en forma secundaria, por lo demás–, sino que él mismo es ya una fatalidad. Sabe con perfecta claridad que el ser no es comprensible para nuestra razón, y que por eso para el espíritu metafísico es indeciblemente aterrador, insoportable, a no ser que se decida a abrazarlo con místico amor, como hace Spinoza. Y pienso ahora que tal vez la explicación del ser como voluntad fuese como un recurso para librarse de la dureza incomprensible que el ser ofrece frente a la razón. Al querer, nos parece que el ser se nos hace de algún modo comprensible. Herbart observa en un pasaje, con gran penetración, que la variación es algo contradictorio, y hasta insoportable para nuestro espíritu, y que esto lo comprueba el concepto de causa. En la causalidad cristalizaría, según eso, la exigencia que demanda no quedar detenidos en la variación que se nos presenta inmediatamente como un último elemento; pero que, como tal, es problemático para nuestro entendimiento; un algo incomprensible, que éste transforma por medio de la causalidad en un concepto más flexible. Quizás haya influido también el motivo correspondiente en la metafísica de la voluntad. Al caracterizar al ser como voluntad se crea en su fondo oscuro un elemento comprensible. Cierto que con esto no se ha hecho más que transportar a la voluntad la oscuridad del ser. Pero por mucho que parezca carecer de sentido y de objeto esta voluntad del mundo, por muy lejos que esté de todo procedimiento racional, tiene, sin embargo, en su forma de voluntad algo que la salva de la rigidez del concepto de ser; un elemento de productividad, un encandenamiento de los momentos aislados. Es como cuando en la esfera de lo empírico, tratándose de un acto de voluntad inexplicable de alguna persona, podemos decir: "lo ha querido así"; en este caso, no sólo hemos trasladado lo inexplicable del sujeto a la voluntad, sino que la voluntad ha sido en realidad desde el principio lo inexplicable; y, sin embargo, nos sentimos más aliviados que si tuviéramos que considerar aquel acto como un acto puramente mecánico, como un acontecimiento surgido sin la intervención de una voluntad consciente. Frente al principio hegeliano de que todo lo que es real es racional, Schopenhauer diría que todo lo real es irracional, y esto, porque aquél tiene a la vista el contenido de la realidad, y éste la realidad del contenido, el hecho del ser impenetrable para la razón. Esta irracionabilidad del ser hace nacer una doble necesidad metafísica, que puede ser satisfecha por su interpretación como voluntad. Por una parte, la necesidad de encontrar un elemento de nuestro ser –y luego del mundo– que le dé un contenido positivo a aquella determinación meramente negativa; este elemento es la voluntad, en cuanto quiere en general, con abstracción de todos los contenidos que pueda adoptar. En cuanto seres intelectuales no somos más que los portadores de contenidos de representaciones, o dicho más exactamente: mientras no hacemos más que representarnos, no *somos*; no queda de nosotros más que la voluntad, con la que, o mejor como la que *somos* en realidad, y al propio tiempo y por lo mismo estamos absolutamente más allá de lo racional de nuestro ser. Pero, al mismo tiempo que la voluntad expresa así en el lenguaje de lo concreto lo irracional del ser, da en cierto modo una especie de redención y alivio para el entendimiento, precisamente porque es voluntad, es decir, porque saca cada momento de sí mismo, porque significa que cada uno de ellos se eleva sobre el precedente. No es que de esta manera se explique causalmente el ser; no es que la voluntad se ponga como su causa; pero como que se identifica con él, la rigidez en que aparecería encerrado se convierte en una vida a la que se puede llegar, adquiere, por decirlo así, la forma de un devenir comprendido, aun cuando nuestro entendimiento no pueda penetrar por entero con esta forma en este enigma extremo, o si se quiere, en este enigma, que es el único principal, pues todo lo demás es contenido y, por lo tanto, comprensible.

Volviendo ahora a la unidad metafísica de la voluntad, en la que se esconde un doble motivo pesimista, debo indicar que, por ser la voluntad el ser fundamental, uno e igual, de todas las cosas y todos los elementos de la vida, los objetivos a los que puede llegar no son puntos de término, sino puntos de tránsito; a cada cosa que alcanza se vuelve a poner en movimiento. Sin duda que aquí sólo se trata de satisfacciones relativas, pertenecientes al campo de los fenómenos, y que sólo sirven para un impulso posterior, porque el fenómeno recibe de las capas de la vida que están por debajo de él un desasosiego insaciable. Pero ahora vayamos más adelante. La voluntad absoluta metafísica que nosotros somos, no es que tenga fines engañosos e insuficientes, sino que no puede tener fin alguno. El fin es siempre algo que está fuera de la voluntad, y como no puede haber nada fuera de él, no puede tener fin alguno. Para la voluntad que está dentro del mundo de los fenómenos, todos los fines son ilusorios; pero para la voluntad absoluta ni siquiera hay fines ilusorios, pues para ella no existe la forma de la distribución en situaciones distintas, que sólo puede darse en el tiempo y en el espacio. Y esto tiene un aspecto lógico peculiar. El concepto de voluntad que vive en todas nuestras voliciones singulares lo adquiere el pensamiento por abstracción de estas últimas; prescinde de lo que las separa, para conservar sólo lo que es común a todas. Pero aparte de las diferencias de intensidad, que aquí no juegan papel alguno, no hay más que una diferencia entre ellas; la de sus fines. Un primer acto de voluntad no se diferencia de uno segundo más que porque tiene por contenido otro fin. Por lo tanto, no puede adquirirse el concepto general de voluntad sino abstrayéndolo de los fines que dan forma, precisamente por su diversidad, a las manifestaciones singulares de la voluntad. La falta de fin de la voluntad, en general, no es más que la consecuencia de la abstracción lógica necesaria, único medio de que llegue a ser un concepto general; tomar esto trágicamente, sería lo mismo que si, por ejemplo, con Spinoza se hubiesen reducido todas realidades a una unidad absoluta del ser; lo que sólo es posible prescindiendo de sus formas, que son las que los diferencian entre sí, y luego lamentarse de que no hay belleza en la existencia; pues ya en el procedimiento lógico, por el que se había llegado al concepto de existencia, quedaba eliminado aquello que constituye para nosotros toda belleza: la forma. El fin del acto de voluntad y su determinación singular son conceptos recíprocos; si se borra la última, porque se quiere llegar a lo general de las voliciones, a lo que está más allá de su existencia individual, se ha prescindido también al hacerlo del fin, y no puede fundarse una lamentación pesimista en que esta voluntad general, indiferenciada y unitaria, carece ya de fines. Pues repetir la determinación por medio de la cual se ha formado un concepto no es sino repetir la misma cosa. Y sacar de este principio una consecuencia sobre el valor y la significación de la voluntad, sería lo mismo que pretender deducir de esta proposición algo acerca del árbol. El árbol sin hojas está desnudo.

Por lo tanto, el punto de arranque del pesimismo metafísico, que parece desposeer de todo sentido a la existencia; la irremediable carencia de fines de la voluntad, concepto absoluto que absorbe en su unidad todas las manifestaciones singulares, se revela como inepto para deducir de él juicio alguno sobre el mundo, porque es un ídem por ídem, y si se predica la carencia de fines de la voluntad, no es sino porque el concepto de esta voluntad sólo podía construirse suprimiendo todo fin. Pero, aparte de este defecto lógico de la tesis de Schopenhauer, queda todavía otra cuestión más importante. La crítica descansaba en que la voluntad en general es una creación del pensamiento, sacada de actos concretos de voluntad, abstracción de lo que separa a unos de otros. Pero ¿y si esa abstracción no fuese más que un camino del pensamiento, por el cual pueda expresarse en la conciencia refleja más que como una contradicción lógica lo que sólo se expresa por un concepto que la suprime propiamente? Dentro del mundo de los fenómenos, que quiebra en actos singulares de voluntad a aquella voluntad originaria, esta contradicción se manifiesta por el disgusto que sigue a toda satisfacción momentánea, por el paso incesante de unos fines a otros: de igual manera la lucha incesante de los individuos y de las especies entre sí, ese suprimirse unos a otros los seres individuales, no son más que la simbolización de aquel hecho fundamental en el mundo aparente de los objetos; y, por último, el dolor del mundo, el predominio del sufrimiento sobre el placer, la balanza negativa de la dicha, que pone como infinitamente más valiosa a la negación de la vida frente a su afirmación –puesto que ésta apenas tiene algún valor–, todo esto es el reflejo de aquella estructura del ser del mundo en la esfera del sentimiento.

IV. El pesimismo

La imagen definitiva del valor de la vida, que ha dado a la filosofía de Schopenhauer su marca exterior y la ha hecho importante por su influencia sobre la cultura de los últimos decenios, se concentra en el absoluto predominio que en ella adquiere el valor de la vida sobre la felicidad. A diferencia de las veleidades pesimistas, que no faltaban y que caracterizaban al mundo como un valle de lágrimas, la vida como no digna de ser vivida y la felicidad como un sueño pasajero, Schopenhauer hace del dolor la sustancia absoluta de la vida, lo convierte en su determinación *a priori*, lo sumerge en la raíz de nuestra existencia de tal modo que ninguno de sus frutos puede tener otra naturaleza que la del dolor. Por primera vez el dolor es aquí, no un accidente del ser, sino el ser mismo en tanto se refleja en sentimientos. Y en realidad la metafísica de la voluntad no permite ninguna otra conclusión si se concede que toda felicidad es voluntad satisfecha y todo dolor es voluntad insatisfecha. Lo que importa es lo que *es*; no conviene creer que el hecho de que la voluntad consiga sus fines sea la causa del sentimiento de placer. Pues como en principio todo efecto puede provenir de muy diversas causas, la insaciabilidad principal de nuestro apetecer no libraría al pesimismo schopenhaueriano de la objeción de que quizás, aunque esta fuente estuviera obstruida, pudiera fluir la felicidad de otras fuentes. Para eso la proposición empírica que pretende: voluntad satisfecha es felicidad, tendría que trocarse en esta otra, metafísica: felicidad es voluntad satisfecha. Y como la voluntad por su naturaleza, como el uno-todo metafísico, nunca puede ser verdaderamente satisfecha, quedaría resuelto el carácter negativo de la balanza de la felicidad en la vida. Si se entiende por dolor y por felicidad en el sentido amplio, que sin duda está en la intención de Schopenhauer, la expresión en la esfera del sentimiento del último y auténtico ser del mundo, de la misma manera que los hechos de la intuición lo expresan en la esfera del conocer, resultará que la cantidad de placer o de dolor será uno de los problemas de más honda importancia de la vida; vistas así las cosas, no puede eludirse este problema como gusta de hacerlo la ética, haciendo que el placer y el dolor pasen como situaciones de ánimo subjetivas que no afectan a la más honda estructura de la vida. El que la vida carezca de fin hace que el dolor y el placer tengan valor en sí mismos, sin pretender una significación que salga del momento mismo en que son sentidos, o bien sacarla de un fin colocado por encima de ellos, por lo cual una teoría filosófica del fin último absoluto como la de Kant considera tan secundarios y poco importantes a estos sentimientos como lo hace la teoría nietzscheana de los fines relativos determinados por el hecho de la superación. Pero si el dolor y el placer tienen, como en esta teoría, su puesto en las instancias supremas de la vida, pueden, precisamente porque sobre ellos no hay fin alguno superior que disminuya su importancia, adquirir aquella significación que hace que la vida entera se tiña de su color, y convierte su proporción en una piedra angular del cuadro schopenhaueriano del mundo.

Schopenhauer expresa la consecuencia decisiva del carácter de voluntad que la felicidad tiene con las siguientes palabras: Toda felicidad es "esencialmente" negativa siempre. Deseo, esto es, carencia, es la condición anterior previa a todo goce. Por eso la felicidad no puede nunca ser más que la liberación de un dolor, de una necesidad. Cuando al fin todo se ha superado y conseguido, nunca se puede haber ganado otra cosa que el liberarse de un dolor o de un deseo, y, por tanto, encontrarse en la misma situación que cuando este dolor o deseo se presentó. Estas proposiciones simples, y en apariencia meramente lógicas, arrojan sobre la vida sombras más profundas que lo que podrían hacer todas las enumeraciones de sus dolores positivos y de los placeres que no pueden alcanzarse. Pues por grande que sea la medida de eso que llamamos felicidad, está marcada desde su nacimiento de mera negatividad; en este proceso la vida no nos concede ganancia propiamente dicha, sino el llenar un vacío, el pago de una deuda a la voluntad. Lo sumo que *podría* alcanzarse en todo caso, aunque en realidad nunca se llegara a ello, sería la satisfacción de toda apetencia, el equilibrio de toda necesidad por la felicidad de la que es condición; una felicidad que fuese algo más que la supresión de un dolor, que el apaciguamiento de un ansia, es una quimera, un imposible lógico. A distinción de aquellos pesimismos que derivan de las cantidades comparadas de placer y de dolor y que, por lo tanto, tienen siempre algo de relativos y corregibles, aquí el pesimismo se levanta sobre el concepto mismo del placer. De esta manera se suprime *a priori* toda corrección empírica en cuanto se declara que la felicidad, grande o pequeña, sólo es posible por el dolor de carecer, no consintiendo ella en otra cosa que en la supresión en cada caso de este carecer. Si hay algo que pueda llamarse el error fundamental de la vida en general, esta negación de la felicidad sería su formulación absoluta.

Su lógica se basa en un hecho psicológico. Si no supiésemos por experiencia que un deseo logrado va acompañado del sentimiento específico, al que llamamos placer, no existiría esta teoría. Por eso su fundamento puede comprobarse en hechos psicológicos. Y me parece que de entre estos hechos, el decisivo para la crítica es el de que la voluntad que va unida con la privación de un valor, o que es la expresión positiva de esta privación, en la mayoría de los casos y en los decisivos para dar color a la vida, no es una voluntad súbita que en un momento se viese ante la cuestión de conseguir o no, sino que la voluntad suele permanecer durante algún tiempo, y luego va realizándose a través de una serie de acciones prácticas, cada una de las cuales va acercando un paso más al fin último, a aquel querer. Y si no estoy engañado, este despliegue de la voluntad no va acompañado en todo caso del sentimiento doloroso de la privación en la misma medida, sino que éste se presenta cuando surgen obstáculos en el camino de la voluntad. Sobre la velocidad de su marcha se forman innumerables experiencias, según la clase del fin perseguido y de las circunstancias en que se persiga, según la personalidad y su destino, y a consecuencia de estas experiencias nace para cada una de nuestras voliciones una esperanza, esperanza que determina de antemano el tiempo, los procedimientos, la fuerza y las condiciones exteriores que serán necesarias para alcanzar ese fin. Y si ahora la acción se va realizando conforme a esta esperanza, no hay, excepto en circunstancias extraordinarias, un sentimiento de dolor que vaya paralelo a ella, a pesar de que mientras estamos en el camino queremos el fin, pero no lo tenemos todavía. Y, sin embargo, esta marcha hacia él antes es placentera que dolorosa; sólo en el momento en que se presenta un obstáculo, en que se aplaza la consecución del fin o en que se paralizan las fuerzas será dolorosa. Es falso psicológicamente el que toda volición hubiera de ser dolor por ser en su base privación, y que la privación la acompañe siempre hasta que el fin se consiga. Porque aunque metafísicamente se considera como un querer toda privación, psicológicamente ocurre una cosa muy distinta: el querer es más bien un movimiento que tiende a remediar la privación, y esta última no llega en general a adquirir un significado doloroso cuando la voluntad se aplica a ella y se desarrolla de una manera normal, sin obstáculos, hacia el fin. Cierto es que el querer, considerado de un modo puramente conceptual, es un no tener; pero de hecho es el camino del no tener al tener y, por lo tanto, un término medio entre ambos. Y lo mismo ocurre si se lo considera eudemonísticamente, de la misma manera que Platón llama al amor un estado intermedio entre no tener y tener, sin que por eso sea sentido como una desgracia; con el dolor del punto de partida para remediar la privación se mezcla la felicidad de la paulatina aproximación al fin.

Pues desde el punto de vista psicológico lo decisivo es que no sentimos el placer pura y exclusivamente en el momento de la consecución del fin, sino en la medida en que vamos acercándonos a éste. Y lo sentimos, no de un modo ilusorio, suponiéndonos en posesión de lo que en realidad no poseemos y dejando que la imagen de la fantasía nos conmueva como si fuese la realidad: lo sentimos de una manera legítima, y sin necesidad de engañarnos; la esperanza de la felicidad se convierte en la felicidad de la esperanza. Sin duda que para una consideración eudemonista vivimos por anticipado; pero esta felicidad anticipada que sentimos la sentimos de veras. Desde el punto de vista de la posesión de un objeto en forma jurídica, claro es que no hay ningún tránsito intermedio entre el mero aspirar a una cosa y el tenerla; ambos términos encuentran colocados como el sí y el no; pero, por lo que toca a los sentimientos, esta alternativa no es tan rigurosa, sino que el placer de la posesión futura refulge, no sólo como placer futuro, sino como presente en el camino hacia la posesión, mientras se marche en realidad por este camino y no se encuentren en él obstáculos infranqueables... ¿Qué importa la consideración, de la que no pasa Schopenhauer, según la cual la felicidad no se justifica lógicamente hasta que la voluntad no haya conseguido su objeto, si los hechos psicológicos, que en la cuestión del valor de felicidad de la vida son los que importan, deciden de otro modo? El dolor de la privación con que se inaugura el proceso de voluntad cesa antes de que se haya conseguido lo deseado, y se siente la felicidad de un modo anticipado, pero no menos real en cada uno de los estadios del proceso, a medida en que se van acercando al logro del fin de la voluntad.

Pero tenemos que ahondar todavía un paso más y quitar a esta fundamentación del pesimismo la dignidad lógica en que hasta ahora había podido apoyarse. El hecho de que entre ambos términos del tener y no tener, objetivamente opuestos y que excluyen todo intermedio, pueda, sin embargo, presentarse aquella aproximación paulatina, aquella anticipación del placer de conseguir que va suprimiendo en forma gradual el dolor de la privación, está fundado en que el poseer y haber conseguido no adquiere significación, ni tiene valor para nosotros en cosa alguna más que por el estado sentimental que produce. Lo que nosotros llamamos posesión, alcanzar, conseguir, tiene distintas significaciones: la jurídica, la física, la lógica. Pero no preguntaríamos por ninguna de ellas sin la significación sentimental, esto es, sin el sentimiento de placer o de valor, que no sólo es el efecto de la posesión, sino su lado ulterior, su realidad subjetiva para nosotros. Esto no es más que continuar en esta esfera el idealismo de la teoría del conocimiento, de la misma manera que el objeto considerado teóricamente es mi representación, y que toda su significación cualitativa se agota en el proceso en que yo me lo represento; considerado prácticamente es mi sentimiento, y en esta relación de mí mismo se agota su relación para conmigo. Así se advierte bien por qué el sentimiento de felicidad que acompaña a la consecución de un objeto de la voluntad, real o imaginario, puede ya adquirirse en el camino de la voluntad hacia este objeto, pues en él no hay, es cierto, un poseer parcial, ya que el poseer en su sentido jurídico o lógico no conoce más que un todo o nada; pero la posesión total no es otra cosa que un estado sentimental que se va manifestando en una serie de estadios progresivos. En el ejemplo del amor aparece esto con especial claridad. Sería absurdo pretender una descripción de su proceso conforme a la fórmula schopenhaueriana, como si el amor se limitase a la posesión interior y exterior de la persona amada, la cual proporciona una cierta medida de felicidad en cuanto libera del dolor que acompañaba al amante durante todo el tiempo en que aún no poseía. En realidad, enseña la experiencia que en muchos casos el amor por sí solo, aun cuando renuncia a conseguir su objeto, es decir, cuando se ve obligado a detenerse en el punto de partida, es sentido ya como una felicidad. La felicidad del amor desgraciado es un hecho del que existen múltiples testimonios. Y cuando se puede trabajar en su satisfacción, la felicidad existe ya en los primeros momentos de este proceso; en los cuidados por el ser amado, en la esperanza que aparece, al principio quedamente y con más fuerza luego; en las señales de correspondencia que empiezan a advertirse; en las primeras pruebas de ella, muy lejanas aun de la plena posesión, en toda esta escala fluye una corriente de dicha que quizá halla su momento supremo en la consecución definitiva, pero que llega a ésta en una gradación escalonada ininterrumpida, y no saltando del puro dolor a la plena dicha. Tal cosa es posible porque la posesión y logro de lo querido como hecho exterior que llenase el concepto, no sería perfectamente indiferente si no consistiese en lo que para nosotros es lo único esencial: en el sentimiento de felicidad, y a causa de que, por lo tanto, no ofrece la menor dificultad el llegar al logro definitivo a través de una continuidad de grados del sentimiento análogos y no sujetos al todo o nada. Por eso cabe acusar de adulterio "al que mira con deseo a la mujer de su prójimo". Pues desde el primer estadio de la serie erótica hasta el último se continúa la misma escala ascendente; sobre el puro carácter gradual de su proceso sólo puede engañarse el que mira a la discontinuidad exterior del tener y no tener psicológico, en lugar de preocuparse del proceso interno, que es lo único que interesa eudemonista y moralmente.

En términos generales, es recomendable la prudencia para declarar que son erróneas tales o cuales decisiones sobre los últimos sentimientos de la vida y del valor, ya que éstos en realidad están más allá de la alternativa de lo verdadero y lo falso. Son expresión de un ser, de la relación de un alma con el mundo, y su "verdad" consiste en manifestar esta relación de un modo fiel y adecuado. La verdad en este sentido nada tiene que ver con que las afirmaciones en que aquella expresión se hace real sean verdaderas en el sentido objetivo, medidas en sus objetos. Por el contrario, muchas veces, a pesar de ser contempladas objetivamente como ilógicas, irreales y contradictorias o quizás por esto mismo, pueden expresar exactamente al ser de un alma opuesta a toda realidad. Por lo tanto, si el valor metafísico o de concepción general de la vida que una afirmación pueda tener no debe medirse por su verdad objetiva, será preciso separar ambos significados, tanto más cuanto que la negación de la una es lo que hace que la otra aparezca en todo su significado y fuerza. El error en que sin duda ha caído aquí Schopenhauer para denunciar como dolor, en interés del pesimismo, al período entero del proceso de voluntad en el que todavía no se posee lo deseado, es éste: el haber dividido la vida con aparente razón lógica en el tener y el no tener lo apetecido. Esto es exacto, sin duda, para el aspecto exterior, físico y jurídico de la existencia, pero no lo es para aquel otro aspecto de la existencia, que es el que importa para la cuestión del pesimismo eudemonista. Porque teniendo en cuenta la frecuente continuidad de los grados eudemonistas, teniendo en cuenta la gran independencia en que se presentan respecto del tener real, definitivo –independencia tan completa que con frecuencia la felicidad no acompaña más que al anhelar, luchar y buscar, y que el fin ya conseguido no nos sabe dar ya más felicidad, sino que aparece como indiferente de la misma manera que una vez en el puerto al marino le es indiferente la luz del faro que lo había guiado hasta allí–; teniendo en cuenta todo esto, falta la base de donde deducir la consecuencia, según la cual, mientras todavía queremos no tenemos aún, y, por tanto, somos desgraciados y sufrimos mientras queremos. Si esta consecuencia fuese legítima quedaría sin duda justificado el pesimismo, porque la mayor parte de la vida transcurre en procesos de voluntad, y el logro final no es más que un insignificante momento. Pero Schopenhauer no puede prestar a esta conclusión apariencia lógica si no es trasladando falsamente lo que ocurre en la esfera del tener y no tener exteriores a lo que ocurre en la esfera, aquí decisiva, de los reflejos sentimentales.

Entiendo que debe buscarse el motivo último de esta deformación del concepto de voluntad en que lo más esencial y lo más original de la obra de Schopenhauer es el haber realizado dos grandes desplazamientos en la concepción filosófica del mundo. El primero consiste en que en el lugar ocupado por la "razón" típica, que había pasado como base subjetiva y objetiva de la existencia, si bien expresada en las más distintas formas, desde "la razón del mundo" de los estoicos hasta la "razón práctica" de Kant, lo ocupa ahora la voluntad, que es colocada en el centro del alma y del mundo. Y el segundo, en que frente a la no menos típica explicación optimista de la realidad, dio al dolor del mundo, considerado en toda su profundidad, la primera expresión de principio. El error de Schopenhauer consiste en haber querido crear una unidad plenamente sistemática entre estos dos resultados del pensamiento, que en sí son perfectamente independientes. Por eso tuvo que extender o configurar de tal modo los conceptos de querer y sentir, que aquella alternativa de tener o no tener, que sólo es propia de su manifestación externa, pasó a convertirse en oposición entre el placer y el dolor, pues únicamente así podría aparecer la felicidad como una mera negación del dolor que la privación engendra. Por eso, desde el comienzo, Schopenhauer no atribuyó al placer y al dolor aquella independencia, espiritual y conceptual que asigna a la representación, sino que determinó su naturaleza como satisfacción o no satisfacción de la voluntad. Al hacerlo así, no reconocía lo cualitativo del sentimiento, lo específico y elemental de su esencia, que no puede confundirse ni con la voluntad ni con la representación. Pero si la metafísica de la voluntad había de dar la fundamentación al pesimismo, era preciso reducir el mundo a voluntad y representación. Era preciso que, conforme al concepto de voluntad, nuestro destino interior se escindiera en tener y no tener, y al lado de estos dos aspectos de la voluntad sólo podía permitirse todavía la "representación", porque la representación, por su idealidad y objetividad, no ejerce influjo alguno en la formación del pesimismo. Es un curioso espectáculo el ver cómo Schopenhauer, que cuenta entre los espíritus más libres e intelectualmente más puros de los tiempos modernos, se deja llevar aquí de necesidades sistemáticas o de sentimientos para formular una unidad que no hubiese salido de una concepción de su objeto honesta por completo. Si hubiera dejado al sentimiento su propio ritmo, que de hecho no sigue a la lógica de la voluntad, no hubiera podido prolongarse de manera tan simple la metafísica de la voluntad en el pesimismo eudemonista. El que Schopenhauer prescinda de la particularidad del sentimiento y afirme que los factores elementales del alma humana sean sólo "voluntad y representación" es la consecuencia de aquel impulso sistemático que pensaba poder deducir, uno de otro, aquellos dos grandes descubrimientos.

La fundamentación metafísica del pesimismo hace que para Schopenhauer sea superflua su fundamentación empírica, y con ello sus sucesores recorrían las distintas esferas de la vida, señalaban en cada una el predominio del dolor sobre la felicidad conseguida, y luego, sumando y restando este pasivo y activo de la balanza de nuestra vida, llegaban al resultado de su negatividad. Aun cuando Schopenhauer era un pensador demasiado grande para pretender deducir conclusiones sobre la totalidad de la vida de la comparación de hechos singulares, hubiera estado sin duda conforme con el resultado. Si se supone que al hombre medio –según su destino eudemonista– se le ofreciera la suma total de felicidad de su vida por la suma total del dolor de ella, Schopenhauer lo disuadiría también de este negocio; para que no saliese perdiendo tendría que recibir una gran cantidad de placer; las alegrías ofrecidas habría que pagarlas demasiado caras en dolor. Pero como este cálculo, decisivo para la cuestión del pesimismo, no puede verificarse por la enumeración de las diferentes sumas parciales, y como el camino metafísico está en contradicción con convicciones indudables, será preciso encontrar otro procedimiento de comprobación que esté más allá de la empiria y más allá de la metafísica.

El pesimismo, que considera la existencia del mundo peor que su no existencia, porque sus valores negativos, es decir, la cantidad de dolor que en ella se sufre, excede a su valor positivo, es decir, a la suma de felicidad que nos proporciona, descansa sobre el supuesto de que ambas cantidades pueden compararse, empírica o apriorísticamente. Pero la posibilidad de semejante comparación no es evidente en modo alguno, aun cuando esto pueda parecer paradójico, si se considera que nuestra vida práctica descansa en cálculos de tal índole: a cada cambio, en cada trabajo, en toda relación entre hombres que engendra obligaciones bilaterales se compara la ganancia en felicidad con la entrega, la renuncia, el esfuerzo, en una palabra, la cantidad de dolor que tenemos que poner, y si éste pesa más que el valor de felicidad que se nos ofrece en cambio, renunciamos a la empresa o pacto. Pero yo creo poder probar que de este hecho de experiencia no es posible deducir ninguna conclusión demostrativa de que el dolor y el placer sean en general comparables.

Aquel cálculo empírico que realizamos de continuo no puede conseguirse por una aproximación inmediata de ambos factores, por una comparación de sus magnitudes absolutas. Cuando se trata de cantidades de una misma cualidad –por ejemplo, dos alegrías o dos dolores de la misma clase–, sabemos inmediatamente cuál es la mayor; su estructura homogénea hace que se las pueda medir por una medida común sobreentendida, como se miden dos sumas de dinero de la misma clase. Mas, cuando se trata del valor en dinero de una mercancía es preciso acudir a un tercer factor para determinar si es o no medible: a la situación general de este artículo en el mercado, que establece como su precio una suma determinada del medio de compra corriente. Sea el que sea el precio absoluto demandado, sólo será demasiado elevado cuando dicha mercancía, o su equivalente, pueda adquirirse más barata en otro sitio. Y lo mismo ocurre con el precio en dolor con que pagamos nuestras alegrías. Una persona sin experiencia no podría decir, entre una suma de dolor y otra de placer, si éste era un precio "justo" por aquél, a no ser que se trate de un dolor extremo. Sólo a lo largo de la vida, y después que se ha ido adquiriendo experiencia, cesa esta inseguridad y se sabe con qué suma de felicidad negativa puede comprarse otra de felicidad positiva sin perder en el cambio; y esta medida no es definitiva, sino que se va modificando siempre por nuevas experiencias. ¿Cuál podría ser, pues, esta medida objetiva que el pesimismo necesita y que subjetivamente sólo de un modo aproximado puede alcanzarse en la práctica? Parece que una medida semejante no podría lograrse más que poniendo frente a frente el total de las sensaciones dolorosas y de las sensaciones placenteras del mundo, y calculando qué parte de cada una corresponde, por término medio, a cada individuo. Sólo aquellos individuos cuya balanza eudemonista tuviese menos alegría y más dolor que aquel promedio habrían comprado demasiado cara la primera. La balanza media en sí no es ni positiva ni negativa; es más bien el lugar en el que se mezclan lo positivo o negativo de los destinos individuales. Si se pudieran comparar en forma inmediata, o por medio de un denominador común, las sumas totales de placer y de dolor, sería distinto; pero como esto no es posible, la medida para cada caso individual hay que sacarla del conjunto, y el llamar grande o pequeña a esta medida sería tan insensato como llamar grande o pequeña a la estatura media de los hombres. El hombre concreto puede ser grande o pequeño, es decir, puede estar por encima o por debajo del promedio; pero el promedio mismo no puede ser medido, puesto que su papel es el de servir de medida a los individuos; únicamente podría resultar grande o pequeño este promedio de nuestra especie en el caso de que nos figurásemos otros hombres existentes en otro planeta y lo comparásemos con el promedio de éstos. Por las mismas razones no puede decirse tampoco que el hombre, en general, tenga "más" dolor que placer, o que el precio del primero que dé por el segundo sea demasiado "elevado", o que no sea "justa" la proporción existente entre ambos. Todos estos principios fundamentales del pesimismo eudemonista descansan en el error metódico de pretender medir la vida misma y trasladar una comparación cuantitativa, que puede aplicarse al destino eudemonístico individual, a la suerte general del hombre, porque tenemos una representación instintiva o empírica de ella.

Verdad es que la inmensa mayoría de los hombres se lamentan de que las cantidades de dolor y placer que les corresponden son desproporcionadas, predominando el dolor, lo que sin duda sería imposible si fuese el promedio el que diese la medida; y hay un sentimiento que no puede acallarse con reflexiones lógicas, que nos dice que el promedio de los hombres sale perdiendo si se compara la cantidad de felicidad que recibe con la cantidad de dolor que tiene que entregar en cambio. Sólo que la medida que aquí aparece no es aplicable racionalmente; no es la de la relación entre el todo y sus elementos, sino la relación entre un ideal y un deseo. Aun cuando el comprador no tenga derecho, desde un punto de vista objetivo, a pedir por su dinero una cantidad de mercancía mayor que la que corresponde al precio medio determinado por la relación entre dinero y mercancías dominante en una situación concreta del mercado, sin embargo, desde un punto de vista subjetivo, *desea*, por lo general, comprar más barato. Siempre que no existen razones contrarias que nos obliguen, nos sentimos inclinados a tomar por exigencia de la justicia objetiva el ansia subjetiva que reclama un privilegio. El "hombre", en general, tiene sin duda más dolores que alegrías; pero este "más" no depende de la medida que la cosa misma proporciona, sino del deseo, que trata de obtener en todo caso más alegrías que dolores. El anhelo de dicha que el hombre siente es inagotable, y por eso no puede satisfacerlo ninguna proporción entre felicidad y dolor; por eso mismo resulta fácil que una determinada proporción, que excede en felicidad a la que nos ha sido discernida, nos parece una exigencia objetivamente justa, por muy problemática y vacilante que sea su cantidad. Éste es un mecanismo psicológico típico. La demanda de igualdad de las clases oprimidas no es sino la expresión del impulso humano general, que quiere pasar del estadio actual a otro más alto. Y para los que están debajo, la igualdad con los que están arriba es la estación inmediata en este camino sin término, que se prolonga hasta el infinito; y esta estación aparece mientras que no se ha alcanzado y, por tanto, mientras no se ve todavía más allá de ella, como un objetivo que satisfará para siempre nuestras ansias, como una absoluta exigencia de la justicia. Pero, tan pronto como se realizase, desde ese nuevo terreno conquistado el ansia del individuo que pretende superar a los otros se haría valer con igual fuerza que el impulso que había actuado hasta entonces: el de la equiparación con los demás. La exigencia ideal del pesimismo de que el hombre ha de tener "tanta" alegría como dolor, para no ser engañado por la vida, corresponde a aquella exigencia de "igualdad", en cuanto que en ella ha cristalizado el deseo del hombre en demanda de más felicidad que la que de hecho se le ha deparado. Pero este deseo no puede ser satisfecho realmente con ninguna proporción concreta entre placer y dolor, puesto que el hombre no se conforma con ninguna cantidad de dolor, por mínima que sea, ni se satisface con ninguna cantidad de alegría, por grande que fuera. Desde el punto de vista del anhelo que ha conducido a formar aquella balanza no hay equilibrio alguno que nos satisfaga, si no es la desaparición del sufrimiento y el reino absoluto de la felicidad.

Esta observación crítica, que muestra cómo es insostenible desde un punto de vista lógico deducir el pesimismo de la desproporcionalidad cuantitativa entre placer y dolor, ha sido prevista por Schopenhauer en una indicación ocasional, que entra en la génesis psicológica del ideal de la justicia eudemonista del que acabamos de hablar. Schopenhauer funda el pesimismo más radical en el hecho de que no nos pueda satisfacer ninguna proporción entre placer y dolor; ni siquiera una proporción "justa", porque aquél debe existir en absoluto – no de un modo relativo– y éste debe no existir en absoluto. No es la cantidad de dolor lo que hace que la existencia del mundo sea algo insensato, lo que da al no ser una preferencia infinita frente al ser, sino el mero hecho del dolor, ya que éste no puede ser suprimido nunca; no hay delicia imaginable que pueda compensar de un dolor cualquiera. Éste es un sentimiento de valoración cuya profundidad puede reconocerse, pero no criticarse; no puede criticarse siquiera poniendo frente a él el sentimiento opuesto, en el que se expresa también una concepción del mundo inatacable. Según este sentimiento, el hecho de que en el mundo haya algo que sea felicidad, el que el ser pueda llegar a una cosa semejante, aunque sólo hubiera ocurrido una sola vez, eleva al mundo a un grado tal de valor, que no hay cantidad de sufrimiento capaz de hacerle perder su significación absoluta. La mera posibilidad de la felicidad, por muy escasa y fragmentaria que de hecho se presente, ilumina la existencia con una luz radiante, cuyo brillo pretende Schopenhauer disminuir con la declaración de que la felicidad no es más que algo negativo, la mera cesación del dolor. Pero ahí está precisamente el punto débil en el pensamiento del filósofo: en ese criterio no se puede fundamentar el pesimismo. Pues no hay que olvidar el momento positivo en la felicidad, la diferencia de la muerte y del sueño —los otros dos medios que pueden hacer cesar el sufrimiento—, y no hay que olvidarlo, aunque luego se le aplique la medida y el valor que se entiendan juntos. Pero a pesar de eso cabe y es posible aquella fundamentación grandiosa del pesimismo, sobre el hecho de que exista el dolor. El que exista la felicidad, y que la felicidad sea todo lo positiva que se quiera, no mitiga en nada el hecho de que en el mundo existe el dolor. Hay sin duda almas que poseen un grado tal de sensibilidad para el dolor que no les permite ver el puesto que de hecho ocupa la felicidad como un valor de la existencia, de igual manera que existen otras cuya sensibilidad está tan dispuesta a recibir la impresión de la felicidad, que no permite que excitantes de otra naturaleza lleguen a penetrar en las capas profundas de su personalidad. Por muy duro que sea el sufrimiento recaído sobre tales hombres, no les parecerá nunca la última instancia de su destino: seguirán percibiendo la dicha y la alegría como el sentido propio de la vida, aun en el caso de que a ellos personalmente les estén negadas, y por eso la existencia se les aparece como algo bueno y no como resultado de un cálculo entre su sufrimiento y su dicha; les parece algo bueno tan sólo por el mero hecho de existir el fenómeno maravilloso de la felicidad, único capaz de vivificar las fuerzas más hondas de su vida. Por paradójica que pueda sonar la frase de Schopenhauer, de que la cantidad de dolor es indiferente frente a la significación del dolor en general, designa de un modo acentuado el fundamento más hondo y propio del pesimismo, por lo mismo que igual sistema de valoración empleado con el signo contrario es el que fundamenta la forma más pura del optimismo. Implica la reducción a su forma más radical de la reflexión arriba hecha, según la cual el placer y el dolor no pueden compararse en masa de un modo inmediato para deducir el valor eudemonístico de la vida en general, ya que no tiene ninguna medida común de sus respectivas cualidades donde pudiera mostrarse el más o el menos de cada una de ellas, sino que únicamente sus cantidades de hechos, vividas, son las que dan el promedio eudemonístico de la existencia humana, en comparación de la cual puede luego determinarse el estar por encima o por debajo, el "más" o "menos" de los destinos individuales. Ambos factores son, por así decirlo, extraños el uno para el otro; no se relacionan recíprocamente, y el que lleguen a ser factores del cálculo del destino humano en general sólo es debido a que son formas de la vida del mismo sujeto. Y con esto se muestra la plena distancia que entre ellos media; la decisión entre el pesimismo y el optimismo deja de depender en su último fundamento de la comparación entre ambos, dependiendo del mero hecho de que existe la dicha y de que existe el dolor en el mundo. Claro que en la experiencia consciente no ocurren así las cosas; dentro de ella resultan decisivas las impresiones de ambas clases y su medida con arreglo a un criterio real o idealmente demandado. Pero aquel pensamiento de Schopenhauer muestra, aunque sea de un modo parcial, que por encima de estos fenómenos superficiales, el conceder más o menos valor a la existencia en naturalezas destacadas depende de que el punto más hondo de su alma posea la sensibilidad específica para la dicha o para el sufrimiento.

El hecho de que personas a quienes el destino les ha sido desfavorable de una manera particular, verbigracia, enfermos crónicos, poseen a menudo una concepción del mundo firmemente optimista, evidencia hasta qué punto esta sensibilidad específica de las distintas naturalezas individuales determina las decisiones eudemonistas de las que aquí se trata, aparte de la suerte empírica individual. Podría pensarse que en personas de sensibilidad tan aguzada para las reacciones de felicidad el destino doloroso había de producir un efecto más amargo. Pero de hecho estas naturalezas sienten como una felicidad tan indecible sus escasas y modestas alegrías, sus posibilidades latentes de dicha producen en tales momentos una tan esplendorosa luz, que para ellos la vida aparece determinada por estos acontecimientos brillantes, y no por la oscuridad de la existencia diaria. Donde la reacción frente a las excitaciones de felicidad es más viva que la opuesta, y donde la estructura del alma permite que las sensaciones actuales de felicidad se encuentren aumentadas por influencias de estados de conciencia lejanos a ella o por reproducciones de felicidades pretéritas (y esta situación psicológica secundaria frente a la felicidad y al sufrimiento me parece tan importante al menos como las diferencias de sensibilidad primarias), allí donde esto ocurre, el alma saca de un mínimum de ocasión una base de optimismo (o de pesimismo) mayor de la que naturalezas opuestas obtendrían de una plenitud de dicha. Esta conformación general del alma se explicará acaso mejor en procesos concretos, de los que aportaré aquí un ejemplo. Ocurre a veces que los pensamientos y destinos que nos hacen sufrir no los sentimos más que como causas ocasionales que realizan una parte de la posibilidad de dolor infinita que vive en nosotros. Los pensamientos y acontecimientos no producirían todos estos tormentos si no estuvieran ya y aguardasen de alguna manera en nosotros. Lo más terrible de momentos tales es que en ellos se apodera de nosotros el presentimiento de un depósito de dolor que arrastramos con nosotros como en una vasija cerrada, un ser oscuro que no es todavía realidad, pero de donde el destino va sacando siempre porciones sin llegar a agotarlo nunca por entero. Esa vasija descansa por lo general tranquila en nosotros; pero cuando un dolor o un sacudimiento la entreabre se produce en ella una remoción, un movimiento sordo, y sentimos la presencia de este terrible tesoro de posibilidades dolorosas que llevamos irremisiblemente con nosotros, y que es nuestra dote, una dote que ningún colmo de miserias, por grande que sea, llegará a agotar. Y la seguridad de que nuestros dolores latentes no podrán ser nunca agotados, lejos de ser un consuelo, es precisamente lo más terrible; pues los tenemos todos aunque no los tengamos. Pero también, de la misma manera la sensación de una dicha determinada se rodea quizás como de un destello de la "felicidad total" que seríamos capaces de sentir; quizás no sólo la belleza, sino toda dicha, es una *promesa de bonheur,* un tañer de campanas todavía intactas en nuestra alma. Si realmente existe esta forma peculiar de actividad psíquica –a la cual sólo puede aludirse desde lejos y con frases aproximadas– en que todo el complejo de posibilidades sentimentales, sin salir del estadio de mera posibilidad, y como tal, obra a la manera de realidad sentimental, si esto es posible, resultará claro que el hecho de hallarse el alma individual particularmente dispuesta hacia el uno o el otro polo de la escala del sentimiento puede decidir acerca de nuestro sentimiento eudemonista de la vida, prescindiendo de nuestro destino individual efectivo.

El remate metafísico del pesimismo está suministrado por el mismo motivo de la unidad de la voluntad del mundo, que, por otra parte, se nos ha mostrado anteriormente como su fundamento metafísico, y que debe construir y establecer la relación que busca Schopenhauer por todas partes entre el pesimismo y la circunstancia de que nuestra vida esté dominada por la voluntad, desde el punto de vista ético.

Mientras la estructura del mundo, tal como el pesimismo la considera, existe como hecho, será preciso que se subleve contra ella no sólo nuestra ansia por una felicidad y un sentido mejor de la existencia, sino también nuestro sentimiento moral, como lo muestran las tentativas, repetidas sin cesar a pesar de los fracasos, de conciliar la bondad y la sabiduría de Dios con el mal que reina en el mundo. Pero si esta existencia es la manifestación de la voluntad, queda completamente justificada, pues entonces es exactamente lo que la voluntad quiere que sea. De igual manera que, cuando se trata de cosas empíricas y concretas, nuestro sentimiento de justicia se aquieta al poder decir frente a la desgracia de alguien: lo ha querido así, lo mismo ocurre con el tormento y la insensatez general del mundo. Puesto que el mundo es voluntad, él solo es por sí responsable; es como es porque quiere ser. La voluntad metafísica, que está detrás de todos los fenómenos como su propia realidad, como el impulso de sus impulsos, es libre en absoluto, porque no tiene nada fuera de sí de lo que dependa o que pudiera determinarla. Si la voluntad absoluta no lo quisiese no habría ningún mundo, y, por tanto, tampoco habría el dolor y la miseria que él en cuanto "mundo" produce. De la misma manera, en la esfera de lo relativo el hombre individual queda libertado de sufrimientos incontables a medida que deja de desear. Así como que la culpa es siempre un querer, el querer es siempre una culpa, no en un sentido moralista, sino en un sentido metaético, en cuanto el querer se introduce en la contradicción y la infelicidad de su ser tan sólo por existir. Por eso el dolor del mundo realiza una justicia eterna de la que la reparación empírica y singular no es más que una forma imperfecta extendida en el tiempo; pues en el conjunto del mundo la culpa y la pena no están separadas en el tiempo, sino que la voluntad del mundo, al realizar un acto de su querer, es decir, de su realidad, ha puesto ya toda la miseria y la desilusión, toda la injusticia y la tragedia del mundo. Si se permite esta expresión paradójica, podría decirse que el que en el mundo sean las cosas insensatas e injustas no es nada insensato e injusto, sino que es la lógica expresión de su carácter de voluntad. Toda la culpa del mundo por una parte, todo su dolor por la otra; más aún, reunidos en un solo conjunto, guardan perfecto equilibrio, porque son la expresión de un solo y mismo hecho: el de que el mundo sea voluntad en su fundamento absoluto. El que esta voluntad sea libre –a diferencia de sus manifestaciones singulares, causalmente determinadas– es lo que da a la existencia en general la culpa; el dolor del mundo es la penitencia impuesta por esta culpa, pero este dolor no puede ser mayor ni menor que la culpa porque expresa la misma realidad de voluntad en el lenguaje del sentimiento.

El sentimiento ético no puede, sin embargo, darse por satisfecho con esto, pues la reunión de toda la culpa y todo el dolor en una misma suma sólo se consigue prescindiendo de aquello que nos parece ser el portador de las injusticias esenciales de la existencia, de la repartición de la culpa y el dolor. Aunque en el conjunto del mundo, o según su significación metafísica, se correspondan exactamente culpa y dolor, puede siempre ocurrir que la culpa sea de una personalidad y el dolor de otra, como acontece cuando se oponen el engañador y el engañado, el atormentador y el atormentado, el egoísta y su víctima. Y esta injusticia, aun cuando no sea posible más que en manifestaciones separadas, tiene que estar en último término fundada en la estructura de conjunto del mundo, y no resulta eliminada tampoco por aquella justicia metafísica o abstracta; ésta da, es verdad, un sentido al todo, pero no consigue hacerlo pasar a las partes. Schopenhauer logra resolver esta dificultad acentuando con la mayor intensidad y hasta con la mayor violencia la unidad metafísica de la voluntad del mundo; pues por existir ésta resulta que, en último término, el atormentador y el atormentado, el perseguidor y el perseguido son una unidad inseparable que sólo se separa en esta dualidad por la disyunción especial propia del mundo de los fenómenos. Sólo en aquella esfera del engaño con que nuestras formas subjetivas de intuición velan el ser verdadero de las cosas pueden existir seres separados, y sólo en ella puede aparecer, por tanto, la cuestión de la distribución que frente a lo que en verdad somos, es decir, frente al ser en su unidad absoluta, es por completo vacua y desprovista de significación. El cruel que persigue sus intereses sin cuidarse del tormento que al hacerlo pueda producir a otro, o que encuentra en este tormento un placer, cree poder hacerlo en virtud de la absoluta oposición que existe entre sí y el otro. Pero esta individuación no sólo es ilusoria, sino que en lo más íntimo de su ser sabe que lo es, aun cuando no en conceptos conscientes. Este saber fundamental, esta convicción de nuestro ser, de su inseparabilidad respecto de todo ser, es lo que produce los remordimientos de conciencia, el sentimiento oscuro, pero de una fuerza interior incontrastable, que acomete al que hace mal; es el de que en la raíz profunda de su ser es idéntico a aquel a quien hace sufrir, y los remordimientos de su conciencia son la forma en que siente el tormento de su víctima. Por eso el rostro de los malvados expresa, dice Schopenhauer, el sufrimiento interior.

Al colocar la cuestión del antagonismo de los individuos en su forma más aguda –no ya la de la mera indiferencia respecto de los dolores de otro, sino la del placer cruel en su sufrimiento–, ha tocado Schopenhauer, con su identificación metafísica del atormentador y el atormentado, uno de los más hondos problemas de la teoría del sentimiento. La manera como Schopenhauer explica psicológicamente la crueldad, la afirmación de que en el hombre cruel existe una voluntad potente en extremo, a cuyo tormento pretende escapar haciendo sufrir a otros, esta grotesca explotación del valor de los "compañeros de infelicidad" me parece una construcción artificiosa que cae en lo trivial. Semejante identidad del cruel y del que sufre desempeña, en mi opinión, su papel inmediatamente en el hecho mismo. El enigma del placer en el sufrimiento de otro se resuelve porque el cruel tiene que sentir de alguna manera en sí los tormentos que hace sufrir al otro, pues si no, no podrían producir en él reacción alguna, ya que lo que observa inmediatamente no son los sufrimientos de su víctima, sino sonidos y gestos de los que tiene que deducir sus sensaciones. ¿Y cómo podría ser esto posible, si no tuviésemos en la propia posibilidad de sentimiento algo que nos permitiese interpretar lo que pasa en la conciencia del otro, que de un modo inmediato es incomprensible? Sólo un sentimiento propio, por inexacto que sea, puede convertir al autómata que grita y hace contorsiones en un hombre que sufre y puede provocar así el placer del cruel. La psicología sólo ha conseguido expresar muy imperfectamente la forma en que el sujeto siente un dolor que ha sido excitado por la contemplación del dolor de otro y lo siente como su propio dolor. Pero sea cualquiera la forma en que esta explicación psicológica se diese, y por mucha exactitud que evidenciara, siempre quedaría en pie la cuestión de la razón metafísica en que se fundara la posibilidad de aquellas conexiones y explicaciones psicológicas, del mismo modo que todas las descripciones y formulaciones de leyes de procesos químicos dejan en pie la cuestión de la estructura fundamental de la materia, fundadas en la cual ocurren aquellos hechos y relaciones observados. El que exista el hecho general de percibir los sentimientos de otro y de percibirlos como sentimientos propios debe ser referido a la más profunda estructura del mundo y del alma, aunque la psicología pueda desarrollar perfectamente la técnica de este proceso. Y esto lo ha visto con plena claridad Schopenhauer al afirmar que a la crueldad, disociación extrema de los individuos, va unida su identidad en los últimos fundamentos del mundo. Sólo que pensando que la identidad era la expiación justa por la crueldad, mientras que de hecho esta identidad obra ya en el acto mismo, en la combinación enigmática del propio dolor con el ajeno. Pero el hacer que el placer en el sufrimiento de otro –que es lo que parece poner más de relieve la oposición entre hombre y hombre– sea precisamente el que elimine esta oposición, recuerda la supresión del límite entre el yo y el tú; tanto más si se tiene en cuenta que con el placer en el sufrimiento de otro está íntimamente ligado el placer en el propio sufrimiento. Tampoco esta paradoja del sentimiento ha encontrado una explicación plenamente satisfactoria. Podría hablarse de que el placer en el sufrir hace vivir en nosotros una expansión polar de las posibilidades de sentimiento, y con ello origina una ampliación enorme del yo, porque no hay otra combinación de sentimientos en que se cierren tales oposiciones. Es curioso observar a qué arrogancias conduce a menudo el dolor, y no sólo el imaginario, sino el real; no hay muchos hombres que crean fácilmente: ¡nadie puede hacer tanto como yo!, pero hay muchos que son lo bastante pretensiosos para creer: ¡nadie sufre tanto como yo! Este sentimiento de una personalidad acentuada que amplía su poder y su significación podría constituir un puente psicológico para el placer de la crueldad, entre cuyos motivos se cuenta –hasta aquí sólo hemos hablado de su contenido y de sus fundamentos– el ansia de poder que convierte al otro en propiedad nuestra; pues en la propiedad puede marcarse nuestra voluntad sin hallar resistencia, y, esto, psicológicamente, lo hace con tanta mayor eficacia cuanto más se opone a ello la propia voluntad del poseído. Por eso el placer de la crueldad es patrimonio de naturalezas sedientas de poder, de expansión de la personalidad, y que no pueden adquirirlos por lo que en ellas hay de positivo en energías o en méritos. Así, la expansión del sentimiento del yo sería el fin más profundo, al que servirían como medios la crueldad contra otro y la crueldad contra sí mismo, a pesar de su antagonismo inmediato. Y en algunas naturalezas se encuentran reunidos en efecto, si bien formando infinitas combinaciones, el placer en el dolor ajeno y en el propio, cuyos extremos patológicos en la esfera de lo sexual designamos con los nombres de sadismo y masoquismo. Me parece muy errónea la teoría que interpreta la crueldad contra sí mismo como una manifestación secundaria, un extravío del instinto originario de la crueldad contra otro, una derivación de éste hacia adentro, tal vez a consecuencia de verse impedido de actuar hacia afuera por frenos morales y jurídicos. Más bien ocurre lo contrario; el placer en el propio sufrimiento se encuentra ya, aunque en forma oscura, latente, en la base de la crueldad contra otro, porque el sentimiento de los dolores de este otro se nos ha mostrado como condición indispensable para que pueda llegar a ser objeto de un acto de conciencia, de un querer nuestro. Y también en el terreno de la abstracción se combinan ambos impulsos, y se combinan en el fenómeno del pesimismo. Hay un sublime placer de crueldad en la destrucción que el pesimismo hace de valores por todos reconocidos, en la pasión con que eleva a la conciencia sufrimientos que de ordinario permanecerían desconocidos, en el rebajar nuestro ser afirmando que no merece nada mejor que esta vida y este mundo. Pero la concepción pesimista general no sólo va unida al sufrimiento subjetivo, sino con frecuencia también a un cierto goce en el sufrimiento. El solazarse en el propio dolor, el entregarse con voluptuosidad a cada pena, la tendencia a dar la mayor importancia a las propias desgracias aun ante sí mismo, todo eso se expresa siempre bajo la forma de una concepción pesimista del mundo entero. Porque el placer, en el propio sufrimiento y en el ajeno, se combinan aquí para engendrar un fenómeno unitario; justifican de nuevo la cuestión de cuál sea la unidad metafísica en cuya hondura el sufrimiento del yo es solidario con el sufrimiento del tú, revelándose en que sus dos direcciones, que al principio aparecen como radicalmente opuestas, tornan a encontrarse de nuevo. La significación permanente de la teoría schopenhaueriana de la justicia eterna, por medio de la identidad del yo y del tú, está en haber promovido esta cuestión.

Pero para resolver el problema de la distribución no basta la unidad metafísica por medio de la cual Schopenhauer quiere hacer con paradójica, pero profunda consecuencia, no sólo que el atormentador participe del tormento de su víctima, sino también que ésta participe de la culpa de aquél. No se trata de la compensación entre distribuciones concretas de placer y dolor, sino de la cuestión que interesa en su último fundamento al pesimismo: la de si el valor de la vida, de la vida determinada por felicidad y sufrimiento, depende en general de la suma total de ambos, del destino medio eudemonista del hombre. Para Schopenhauer esto está fuera de duda. Rechazaría toda pretensión que quisiera considerar a la distribución de la felicidad como un valor independiente, porque la unidad metafísica no permite separación alguna individual de los portadores, de la felicidad y el dolor en las regiones de la valoración definitiva. En esto estriba la limitación filosófica de Schopenhauer. Aquella preocupación por la unidad le impediría el comprender siquiera que en el más o menos de los valores eudemonísticos que el uno posee frente al otro, o en la igualdad con que se reparten entre los diversos individuos, pudiese existir un valor definitivo, independiente de su promedio, ni el que la existencia de una pluralidad de hombres puede ser más o menos valiosa, en un sentido plenamente objetivo, no sólo porque suba o baje su patrimonio de felicidad total, sino meramente por las proporciones de igualdad y desigualdad con que se reparta este patrimonio, debiendo entenderse, naturalmente, que no se trata aquí de igualdad o desigualdad en un sentido mecánico, sino referidas a normas de justicia, de conveniencia, de organización. Están aquí frente a frente dos criterios de valoración última, en absoluto irreconciliables, y que no pueden combatirse lógicamente porque se trata de oposiciones arraigadas en lo profundo del ser y determinadas por lo más íntimo del carácter. Si en general el placer y el dolor poseen, junto con su significación interna y externa, una significación metafísica aneja, podrá lógicamente tener esa significación la manera de su distribución entre individuos, su forma, por decirlo así, lo mismo que la tienen sus cantidades totales, sobre cuya proporción discuten el pesimismo y el optimismo. Esto significa, claro está, que la individualidad posee una realidad y significación absolutas, pues de lo contrario no podría darse ningún valor definitivo en las relaciones entre los estados individuales; aun cuando la igualdad domine como ideal se exige esta significación fundamental de los individuos, puesto que si no, en último término, no sería importante la igualdad o desigualdad de sus situaciones relativas. Si la portadora de todos los valores e intereses es la unidad, que está más allá de los individuos, sólo puede tener importancia la suma eudemonística que comprende esta unidad y que le viene por igual de todos los individuos. Pero si en vez de la identidad se considera que lo importante es su diferenciación, la cuestión de la diferenciación significará más que la de la unidad total. Hay muchos partidarios del socialismo que piensan que no ha de alterarse el promedio de la felicidad y del sufrimiento del género humano, y a quienes lo que importa es la igualdad o justicia con que su masa total esté distribuida. Habría, en efecto, no sólo fanáticos de la igualdad, sino también fanáticos de la justicia, del orden aristocrático, de la organización gradual de la sociedad, que aceptarían una disminución de los valores totales de la vida, con tal que esta cantidad se distribuyese en la forma única que para ellos puede dar un sentido a la vida. En este antagonismo se ve claramente hasta qué punto se encuentra en relación con la teoría metafísica de la unidad el cálculo de los valores de la vida de la humanidad, según las cantidades de felicidad y sufrimiento que se den en ella. Desde el momento en que los individuos se conviertan en realidades definitivas, la cuestión del más o el menos del uno comparado con el otro adquirirá importancia frente a la cantidad absoluta de este valor, puesto que para esta concepción no hay ya, por decirlo así, sujeto unitario, sino que el sujeto considerado como un todo sólo existe en la adición y abstracción hecha por el observador. En la incapacidad de Schopenhauer para ver, en las individualidades y en sus relaciones, un término primero o último –según el cual el mero carácter fenomenal de los individuos es más bien consecuencia que fundamento–, se descubre la misma rigidez mental que lo hace interiormente extraño a toda idea de superación. Más adelante mostraré cómo esta disposición intelectual suya lo mueve a fijar a la personalidad individual en una absoluta inmutabilidad respecto de su carácter originario. En este rasgo de la rigidez, en esta hipnotización de la mirada en el punto unitario de toda existencia, descansa el pesimismo de la voluntad, porque el uno absoluto no conoce salvación en la superación del uno al otro; ahí descansa también el oscuro fatalismo respecto al desarrollo del carácter del individuo, para el que no hay ninguna mutación, ningún cambio en la dirección de la vida, sino sólo diversas relaciones de la unidad inalterable de nuestra vida con nuestras distintas situaciones. Y sobre esa misma rigidez descansa, por último, la apreciación del valor de la vida según la suma total de felicidad y dolor, cuya portadora es la unidad metafísica del ser, y que no deja espacio alguno al valor profundo y autónomo basado en la distribución de aquella suma, sea mayor o menor; en las relaciones variables de los individuos que la componen, y no en su altura absoluta y permanente. Puede decirse que aquí los mismos elementos de su contextura espiritual que le habían ocultado el significado de la sucesión en la superación, le ocultan el significado de la convivencia de los individuos en el espacio.

Sonará a paradoja el asegurar que la rigidez es un carácter de la espiritualidad de Schopenhauer, para quien la esencia del mundo es el absoluto desasosiego; desasosiego que no es meramente una cualidad fundamental del mundo, sino su propia sustancia; él ha desposeído al mundo de aquel punto de descanso que prestaría un punto de término a sus movimientos aunque estuviese colocado en el infinito. Lo que, sin embargo, aparece en las manifestaciones indicadas como su rigidez es quizás el equilibrio interior de su naturaleza espiritual, sin la cual su sentimiento para el desasosiego y la falta de fin, con el perseguir incesante y la sed insaciable de todo lo existente, lo destruiría. Sin duda que la naturaleza del filósofo consiste en que, de entre las múltiples corrientes de la realidad, que en ella aparecen de modo fragmentario, cortándose unas a otras, una sola, en línea recta, pasa por él hacia el infinito. El filósofo vive bajo un supuesto parcialmente orientado, pero que por eso sobrepuja al carácter rudimentario de la vida empírica. Pero es el caso –y el explicárselo constituye uno de los más difíciles, pero también de los más ineludibles problemas del análisis psicológico– que esta parcialidad que es filosófica, cuando encaja en su forma el conjunto del mundo, aparece rota y se completa por la acción de la corriente contraria, brotada, por decirlo así, de lo subterráneo del ser. Con frecuencia las "inconsecuencias" lógicas de los filósofos no son sino el reflejo intelectual de aquel fenómeno que arranca de las más hondas complicaciones del alma. Toda actividad o formación parcial del individuo encuentra un límite para su exclusividad, porque la energía que se requiere para sus ejercicios no puede ser suministrada más que por la totalidad del organismo en que descansa; pero, a partir de un cierto grado de unilateralidad, se alteran de tal manera las funciones normales de aquel todo, basadas en el equilibrio de las distintas energías, que ya no puede producir ni aun la fuerza que aquella dirección parcial exige. Por eso toda exteriorización demasiado unilateral de la vida exige, aunque sólo sea por respeto a sí misma, una limitación y un equilibrio. Aunque cada pensador haga acordar radicalmente la sinfonía del mundo en el tono que le es propio, y aunque esto lo haga con la más extremada pasión, de pronto se oyen tonos que provienen de otra dirección completamente distinta y que se mezclan en la sinfonía general. Estos tonos revelan la base íntima del pensador, aun de aquel que tenga un carácter intelectual más diferenciado, al hacer que al lado de su dirección peculiar estén representados en mayor o menor grado otros motivos antagónicos del fundamento, y que lo equilibran.

V. La metafísica del arte

La moderna teoría de la evolución presenta la tendencia a ordenar en el proceso total de la vida las distintas funciones del alma, que parecen vivir con independencia unas al lado de otras. Es indudable que los resultados producidos por la actividad estética, intelectual, práctica o religiosa, forman esferas particulares, regidas cada cual por sus leyes; cada uno de ellos produce en su lenguaje, a su manera, el mundo o un mundo; pero esta autonomía de nuestros distintos mundos sólo se refiere a su contenido cuando se lo considera con independencia de su producción. Y sólo en cuanto que este contenido se piensa en abstracción separada y se escinde de las energías reales de la vida espiritual, sólo así considerado puede parecer que todas aquellas corrientes de la vida corren unas al lado de las otras sin comunicación; frente a esto, el reunirlas dentro de un sistema unitario en relaciones de dominación y dependencia es sin duda un progreso. Verdad es que ello pierde valor al considerar que tan amplia teleología suele orientarse de manera exclusiva en el sentido de las necesidades más primitivas y elementales de la vida; la conservación de la existencia fisiológica, la conservación de la especie, las condiciones económicas, se consideran cómo "fines que nos han sido impuestos por la misma naturaleza", y todas las actividades morales, espirituales, estéticas, suelen no tener más valor que el de medios para aquellos fines. En cambio, en la esfera de la actividad psicológica se presenta un cuadro totalmente distinto; la unidad se forma en ella, precisamente por una reciprocidad de las causas. Sin duda que las funciones intelectuales sirven a las económicas, pero también sirven las económicas a las intelectuales; no hay duda de que los instintos eróticos han producido innumerables veces actividades estéticas, pero también el impulso artístico se ha aprovechado de las potencias eróticas. A la coexistencia aislada en que aparecían estos mundos mientras no se los consideraba sino según su forma real, por decirlo así: según su idea, sucede la relación entre las funciones en que el alma vive estos mundos, la relación mutua de fin y de medio con la cual llegan a ordenarse para formar la unidad de la vida. Esta unidad funcional de las relaciones mutuas puede ahora cristalizar en un concepto sustancial que lleve o exprese esta unidad, algo así como el Estado que por una parte indica las relaciones mutuas políticas de sus elementos, pero que, además, aparece como un concepto que está más allá de las manifestaciones individuales y que hace posible su unidad. El concepto de la vida de Nietzsche, por ejemplo, muestra una reunión semejante de los fenómenos interiores en un fin común, al que están subordinados todos los fines individuales. En él la vida se destaca como un valor absoluto, que es lo absolutamente significado en las manifestaciones diversas de la existencia. El querer —y lo mismo el conocer y el sentir— no es más que un medio de intensificación de la vida; ésta comprende en su concepto irreductible a todas nuestras funciones particulares. Es interesante notar que, así como en Nietzsche el proceso de la vida se apodera de la voluntad como de su órgano y medio, en Schopenhauer, por el contrario, la voluntad adquiere aquel significado absoluto según el cual la vida misma no es más que una de sus manifestaciones, un medio de expresarse a sí mismo y de hallar su camino. Para Nietzsche queremos porque vivimos; para Schopenhauer vivimos porque queremos. Pero en uno y otro la función intelectual se subordina a estas determinaciones definitivas. Por mucha que sea la sustantividad, el valor ideal que se dé a la verdad considerada como ciencia autónoma, el que la acojamos es cosa de aquel impulso práctico que emana de la vida y de la voluntad; sólo gracias a él adquieren sangre y calor los contenidos del entendimiento. Claro está que con esto pierden su sustantividad, su valor independiente, y —en Schopenhauer— se convierten en súbditos de la voluntad, en la forma voluntaria de nuestra existencia. Las ansias e impulsos, el coger una cosa para soltarla y el soltarla para apoderarse de otra, se hacen dueños de nuestro intelecto, para manifestarse por medio de él en fines concretos y para que les señale los distintos caminos concretos de aquel ansia informe.

Pero, al propio tiempo, Schopenhauer enseña que el intelecto tiene de cuando en cuando la posibilidad de librarse de la esclavitud de la voluntad; pero entendiendo aquí por intelecto, no el pensar lógico, sino la esfera de conciencia en que se forma el cuadro intuitivo del mundo en general. Describe como un hecho, que no trata de fundamentar, el que nosotros podamos sepultarnos de tal modo en la intuición, en la mera representación de un objeto, que se acallan todas las excitaciones ordinariamente sentidas y que son, abierta o veladamente, impulsos de voluntad. En estos momentos de absoluta contemplación estamos de tal modo saturados de la imagen de la cosa, que desaparece la condición de la voluntad y la causa del tormento que nos proporciona el sentir que el yo y su objeto se oponen, que están separados por un abismo insondable de carácter espacial y temporal. Por el contrario, sumergidos plenamente en la contemplación de un fenómeno, ya no sentimos un yo que estuviera separado de su contenido, sino que nos sentimos "perdidos" en éste. Con esto desaparece todo egoísmo, puesto que ha desaparecido también el yo en quien incide, todo querer poseer, pues en aquella intuición plena tenemos cuanto queremos y cuanto podemos querer de la cosa. La felicidad y la infelicidad, los atributos de la voluntad quedan más allá del límite en que comienza la pura intuición, en la que las cosas ya no existen para nosotros como estímulos, sino meramente como representaciones.

Éste es el núcleo de la actividad estética. En ella se disocia plenamente el mundo como representación del mundo como voluntad, que fuera de ahí es el que lo lleva y lo impulsa. La existencia de las cosas en nuestro intelecto, que fuera de ahí está colocada al servicio de los *fines* de nuestra vida, se separa de la voluntad y vive en una esfera propia, sin dejar una existencia independiente ni al mismo yo; el yo tiene que disolverse también en la imagen, en la representación. Ésta es la inversión radical del hombre interior, la salvación por el estado estético, que puede provocarse frente a cualquier objeto, siempre que su contenido, reflejado en una representación y sin servir a ningún interés de la voluntad, nos llene. Llamamos bellos a aquellos objetos que nos facilitan la contemplación de la imagen separada de toda base de voluntad; el genio artístico es el hombre que consigue esto de un modo más pleno y más perfecto que los demás; la obra de arte nos fuerza en cierto modo a su contemplación: con ella se eleva a una existencia propia el contenido de las cosas y destinos, sacado de toda complicación con el deseo y con lo meramente práctico, como dice maravillosamente en un pasaje: "El arte ha llegado siempre al fin". Colocado entre el genio creador y el individuo receptivo, el arte es al propio tiempo el efecto y la causa de la emancipación del puro intelecto respecto de la voluntad, de donde se deriva toda la significación que tiene en la metafísica de Schopenhauer.

Indicada quedó antes cuál es la primera modificación que produce en el sujeto. La individualidad, la particularidad del hombre en el tiempo y en el espacio desaparece ante él. Así como el estado estético de una puesta de sol es el mismo si se mira desde una cárcel o desde un palacio, así también el ojo que contempla un cuadro, el oído que se entrega a las armonías de la música, viven en una esfera en que es indiferente que el ojo o el oído pertenezcan a un rey o a un mendigo. Deja de existir cuanto en el hombre excede a la actividad de ver u oír este objeto, todas las cualidades y relaciones que le señalan un papel determinado, individual en la serie de la existencia espacial, temporal, causal, social; se lo ha sacado de aquel encadenamiento que lo convertía en eslabón de la cadena sin término ni fin preconcebido en que se desarrolla el mundo impulsado por la voluntad; todas las relaciones que se refieren y pudieran referirse a él en cuanto está puesto en una mutua relación con otros individuos, han desaparecido. Schopenhauer expresa en forma muy bella que precisamente aquello mismo que, llevado e impulsado por la voluntad, es amor sexual, puede liberarse de la voluntad merced al predominio de la vida representativa y convertirse en un elemento puramente objetivo para determinar el valor estético de la figura humana. De modo que las características del hombre que se limita a contemplar, entregado plenamente a la imagen del objeto, lo cual es posible en el más alto grado colocado frente a la obra de arte, frente al mero aspecto de representación del mundo convertido en esfera aislada, son pérdida de su determinación como individuo concreto, causal, y como causa y como consecuencia de esto, escisión de las relaciones que, uniéndolo al mundo y a los elementos del mundo no tienen relación con esta intuición momentánea. Pero este carácter momentáneo no impide que la intuición estética se encuentre en su esencia más íntima fuera del tiempo. Pues también es extraña a ella la relación de tiempo, que determina el momento por el antes y el después, mientras que la elevación estética es tan independiente de todo ahora o en otro tiempo.

Por de pronto, esto no es sino un proceso psicológico, y para adquirir significación dentro de la imagen metafísica del mundo necesita de la particularidad del objeto de la intuición estética subjetiva, y no se determina sino por medio de la contestación a la pregunta acerca de qué es lo que observamos en el objeto al contemplarlo estéticamente, a diferencia de lo que en él observamos dentro de la conexión ordinaria, práctico-empírica. La consideración decisiva de Schopenhauer es aquí que el objeto de la intuición estética gana la misma salvación de la individualidad, de la determinación especial y causal y de las relaciones que nacen del flujo de los elementos vitales; en ella separamos el objeto de su trabazón con el medio en todo lo que no participa de la intuición estética, y al perder su relatividad pierde al propio tiempo su individualidad, que no consiste en otra cosa sino en la indiferencia relativa a otros en la determinación de elementos fuera de sí. Schopenhauer, remitiéndose a Platón, llama al residuo que queda "idea de la cosa", que es el objeto propio del arte (al que nos limitamos aquí como la más elevada manifestación de la estética) y cuya aclaración constituye la dificultad central de esta teoría.

Todas las cosas individuales, que tienen realidad en el tiempo y en el espacio, además de las relaciones causales y otras que unen entre sí a sus realidades, poseen relaciones de un género completamente distinto. Con frecuencia vemos surgir innumerables manifestaciones individuales, que no son sino ejemplos de algo general, incólume al hundirse y al desaparecer, a la frecuencia y a la rareza, al aquí y allí de aquellas realidades; algo que guarda más allá de ellas un significado especial, no representado plenamente y en toda su pureza por ninguna de las realidades individuales. En donde esto aparece con más decisión –aunque aparezca también en otras esferas– es en los organismos, cuyas mutabilidades y posibilidades de desarrollo hacen que en ellos se vea más claramente que aspiran a una forma acabada, que yace en ellos trazada de antemano con líneas ideales. Esta forma no es lo que se llama el "concepto general de las cosas", concepto que es más bien la concatenación de las distintas manifestaciones individuales, o a lo sumo la conformación ideal de aquel ideal o forma-tipo. Este ideal que con una intuición especial vemos reflejado en las cosas particulares no se agota nunca en ellas, sino que permanece intacto, independiente de que se realice con más o menos perfección, de que se presente a menudo o raras veces, y del dónde y cuándo se presente. Al percibir, pues, en el objeto del que en cada intuición se trata, no sólo su existencia sensible inmediata, sino también la idea en que se agota su ser, aun cuando el objeto no haga sino aproximarse más o menos a ella, ya no vemos en él meramente su individualidad, sino un ser supraindividual: el ser que es común a una cantidad ilimitada de cosas particulares existentes en el tiempo y en el espacio, y que, a diferencia del concepto formado *a posteriori*, meramente lógico, va escondido en la cosa como la forma ideal y unitaria siempre idéntica, siendo, sin embargo, visible para quien lo contempla. Existen, pues, objetos de representación que corresponden exactamente de una manera formal, por decirlo así, al sujeto de la representación estética. Al contemplar el objeto como una expresión de su idea, la cual es al propio tiempo su esencia más íntima y su ideal nunca plenamente realizado, lo sacamos de su individualidad, lo libertamos de la mera relatividad de su situación en el tiempo y en el espacio, de su complicación en la existencia física, de la misma manera que estéticamente nosotros estamos también liberados de todas estas cosas. Y esto fundamenta para Schopenhauer la conclusión −a la que por cierto llega sólo a través de una especie de prueba de indicios− de que el objeto de nuestra "intuición estética" es precisamente esta "idea", lo general que se refleja en lo individual y que sólo a través de ello nos es dado contemplar; pero que en su esencia es por completo indiferente a esta individual configuración. Estéticamente *vemos* en la cosa individual lo general que hay en ella, mientras que en el concepto lógico general no hacemos más que *pensarlo*. La obra de arte significa que el núcleo ideal, descubierto por la contemplación estética en cada cosa, se expresa en ella como en una cristalización y se construye al propio tiempo su cuerpo, en el que no hay ningún elemento extraño a él. El objeto pasa por el sujeto genial que lo devuelve expresado según su mero valor ideal, y así este valor se hace más comprensible para los demás sujetos; la misma ventaja que ofrece para el cuerpo la alimentación animal, por ser alimentación vegetal ya asimilada, es la ventaja que ofrece al espíritu la obra de arte, dice en un pasaje Schopenhauer. Para que se produzca una intuición estética llena de contenido, es preciso que en el sujeto y en el objeto se encuentren las mismas determinaciones, determinaciones que se contradicen en apariencia, pero que −y esto se verá con más detalle, constituyen el verdadero nervio de la teoría del arte de Schopenhauer− precisan el punto decisivo, justamente por la coincidencia de lo que aparentemente se excluye. El hombre y el objeto coinciden en la intuición estética, separados de todo lo que no sea ellos mismos, separados de todas sus relaciones naturales e históricas ajenas a su pura esencia. Este aislamiento de la corriente de la existencia, que arranca al sujeto y al objeto de los lazos que los ligan con el resto de la realidad, parece conservar la pura individualidad de ambos, su determinación absoluta invariable basada en ellos mismos. Pero lejos de esto, en Schopenhauer pierden su individualidad, el ser singular se sumerge en uno general, aparece algo típico universal que representa seres incontables, cada uno de los cuales en cuanto se lo considera en relación a su realidad, sólo ahora, y nunca más, puede existir. Aquí el que intuye estéticamente y el objeto de la intuición se manifiestan en esa existencia independiente más acentuada y al propio tiempo en su negación más acabada –antinomia cuya profunda verdad sentimos en cada momento de intenso goce–.

Schopenhauer redujo su fundamentación al objeto, para el cual resuelve la contradicción mediante una categoría metafísica especial. La concepción del mundo que hasta aquí se ha expuesto contenía dos elementos: La unidad metafísica de la voluntad, lo absoluto del ser, por una parte, y, por la otra, los fenómenos singulares determinados según las formas de nuestra conciencia, y que aparecen en mutua relación por el tiempo, el espacio y la cualidad. Pero dentro de esta oposición fundamental falta espacio para un hecho: el hecho de que aquellas manifestaciones singulares forman grupos con un contenido esencialmente idéntico, de tal manera que para comprenderlas intelectualmente es preciso reunirlas, y que en su individualidad aparecen más profunda y menos arbitrariamente como ejemplos de aquellas "ideas". La naturaleza da la impresión de que existe un número determinado de formas fundamentales que constituyen los tipos para los incontables fenómenos singulares que, conforme a las leyes naturales, se originan y desaparecen. Éstas son las posibilidades esquemáticas o principales que encuentra la voluntad metafísica en que descansa la existencia para construir con ellas las realidades singulares de las cosas. Objetivándose en estas últimas la voluntad del mundo, aquellos tipos ideales en que coinciden son, según la frase de Schopenhauer, los *grados* de esta objetivación, como provincias de un reino ideal, cada una de las cuales está caracterizada de una peculiar manera, y en la realidad aparece en infinitos seres singulares que llevan el carácter fundamental de su tipo, con más o menos claridad y pureza. Dichos grados de objetivación de la voluntad forman una serie ascendente –lo cual, sin embargo, carece en Schopenhauer de toda consecuencia importante a causa de su falta de comprensión para todo pensamiento evolutivo– de maneras que tiene la voluntad de expresarse en el lenguaje a que pueden alcanzar los fenómenos: el de la materialidad y el peso, y que abarcan todas las clases de forma y materia de la naturaleza hasta llegar al género humano; éste es tan variado, que apenas si resulta posible que se ordene enteramente con la idea de un hombre otro alguno: la idea a cuya realización está destinada una personalidad individual no puede en realidad cumplirse más que por ella.

Así es como las ideas forman una especie de término medio entre la voluntad trascendente y el objeto empírico; un tercer reino, cuyo grado de realidad no precisa Schopenhauer. Pero quizás el lugar espiritual donde él cree colocado este reino pueda determinarse, hasta cierto punto, recordando a Platón. La teoría platónica de las ideas parte de aquel descubrimiento de Sócrates, según el cual la verdad, por tener un valor duradero y objetivo, no podía encontrarse en las imágenes de las cosas que los sentidos nos proporcionan y que son pasajeras, poco seguras y variables de sujeto a sujeto, sino en los conceptos del entendimiento, que pueden encontrarse siempre y con los que puede calcularse como con cantidades fijas. De aquí siguió deduciendo Platón: El que una representación sea verdadera significa que está conforme con su objeto. Pero el objeto del concepto no puede ser la cosa singular, que por las cualidades arriba indicadas es inepta para ello. Será, pues, preciso que exista algún otro objeto, algo fuera de los sentidos, por encima del acaso de las existencias singulares, que flote con valor invariable sobre las cosas, como el concepto sobre las meras observaciones de cosas. A este objeto lo llama Platón idea, la cual, por tanto, considerada en su origen, no sería una esencia metafísica que se tornase luego en objeto de nuestro concepto, sino que sólo es admitida por la exigencia de que la cosa, puesto que es lo verdadero, ha de tener un objeto que le proporcione, merced a su conformidad con él, la dignidad de verdad. La idea del árbol o de la belleza se le aparece a Platón como una realidad metafísica, porque el verdadero conocimiento de su esencia no puede descansar en la percepción sensual de un árbol o de una persona bella, sino en el concepto general de árbol y de belleza, y porque para que esto sea posible es preciso suponer un objeto correspondiente a ellos, que los legitime como verdad. Pero, así como Platón buscaba un objeto para los conceptos, Schopenhauer lo busca para la intuición estética. Percibía bien que cuando nosotros nos colocamos estéticamente frente a un objeto, nos lo representamos de muy otra manera que cuando lo contemplamos científica o prácticamente. La esencia incomparable del objeto estético consiste para él en que, por una parte, significa un existir independiente, fuera de todas las conexiones, combinaciones y condicionamientos de los que está afectada la existencia de las cosas singulares, mientras que por otra parte va más allá del mero existir por sí de lo individual; se extiende dominando, dando normas sobre una pluralidad, pero sujeto a otra dimensión, como la coexistencia y sucesión, como la serie causal de las realidades. Por tanto, Schopenhauer llama a aquello que estéticamente intuimos, y cuya intuición ha adquirido en la obra de arte una existencia independiente, la "idea de la cosa", esto es, el tipo viviente como intuición, la forma tipo, según cuyo molde la realidad funde un número infinito de creaciones singulares, sujetas a las leyes del existir en el tiempo y en el espacio. Esta misma etapa –el contenido de la contemplación estética, el producto de la obra artística– es absolutamente única, existente por sí, indiferente a todo cuanto pueda existir antes y después y al mismo tiempo. Puede haber un número infinito de estadios semejantes, puede haber infinitas posibilidades de explicarlos por medio del arte, pero cada uno de ellos sólo existe una vez; lo mismo existente por segunda vez coincidirá con lo de la primera vez, mientras que las cosas singulares reales, que también están construidas según estos modelos, en los que vive aquel estadio de la objetivación de la voluntad como su forma esencial, existen al mismo tiempo y sucesivamente en una pluralidad incalculable. La exigencia estética de unidad y unicidad autónomas, unida con una validez y potencia normativa supraindividual para una infinidad de cosas singulares, está fundada al construir tales estadios metafísicamente, en que la voluntad se expresa en ellos de un modo visible, y el sentido y contenido ideales de cada estadio sólo existe una vez en plena autonomía, brillando como modelo tipo, nunca perfectamente realizado para la mirada estética, en cada una de las numerosas manifestaciones en que la naturaleza realiza estos estadios.

El que la idea, el objeto de la intuición estética, no exista en el tiempo y en el espacio, podría parecer incomprensible pensando en que en el teatro y en la narración transcurre tiempo, y en que las artes plásticas se concretan en el espacio. Y en verdad, cuando dice

Schopenhauer, refiriéndose a que lo estético no vive en el espacio: la figura espacial que tengo ante mí no es la idea –la idea es su expresión, su significación pura, su ser más íntimo, y la idea puede ser la misma, aun existiendo grandes diferencias en las condiciones espaciales de la figura–; cuando dice esto, da expresión a algo que lo separa de la moderna concepción del arte, de la que él en muchas cosas fue, sin embargo, un precursor. Sin duda que ha dotado a su filosofía del arte de una relación más estrecha con la intuición que cualquiera de los filósofos anteriores a él. Pero, por una parte, el clasicismo goethiano y, por otra, la coloración abstracto-intelectual que en él todavía conserva la idea –a pesar de la claridad con que ve la oposición de principio entre concepto e idea– le impidieron llegar a la concepción puramente artística del arte, la que, sin duda, consiente una explicación metafísica, pero no el entrar en la conexión inmanente de lo estético, ni tampoco el recurrir a las ciencias naturales. Sin embargo, entre él y nosotros hay una diferenciación más precisa aún. El que el espacio sea un contenido esencial de la obra plástica es perfectamente compatible con su liberación respecto de la determinación real en el espacio. Pues si el espacio está en la obra de arte, no por eso ha de estar la obra de arte en el espacio. Claro es que el lienzo, con sus colores, o el trozo de mármol están en el espacio. Pero el espacio que el cuadro representa, la configuración espacial de la figura, que forma el contenido de la plástica, no es un espacio real, no está limitado del mismo modo que el lienzo y el trozo de mármol, como materia, lo están en el espacio real. Con el concepto de tiempo ocurre lo mismo. El tiempo en que transcurre el drama es un tiempo ideal y perfectamente compatible con la liberación respecto del tiempo como forma real de la existencia. El tiempo y el espacio en que *vivimos* rodean a toda cosa y a todo destino, los hacen por eso existencias meramente individuales, los limitan desde afuera. Pero la obra de arte se coloca fuera del lugar donde es posible que unas cosas se limiten a otras. De modo que el tiempo y el espacio que aparecen en una obra de arte no están limitados por otros tiempos y otros espacios, sino que cada uno de ellos forma su mundo para sí solo: el mundo de la obra de arte. Por eso, desde el punto de vista de la realidad, la obra de arte sigue viviendo fuera del tiempo y del espacio, aunque encierre determinaciones temporales y espaciales, las cuales no viven más que en la esfera de la idea y no en la de la realidad. El no distinguir entre los dos espacios: el espacio que vive dentro de la obra de arte y que pertenece a la idea como uno de sus elementos, y el espacio que rodea a la obra de arte y que para nada la afecta, induce a Schopenhauer al intento de expulsar al espacio del seno de la obra de arte, como algo que en ella no tiene relieve.

Bastará, pues, con ampliar el principio schopenhaueriano para resolver la discrepancia entre su teoría y la moderna concepción del arte. Pero hay una diferencia más honda entre ambas, y esta diferencia se refiere al objeto general del arte. Schopenhauer rechaza con la mayor decisión todo lo que hoy llamamos naturalismo e impresiones. La imitación de la realidad está para él fuera del arte; sus argumentos en defensa de esta manera de pensar pueden resumirse en la consideración de que la mera imitación no nos da sino aquello que ya teníamos y, por tanto, no puede traernos esa liberación y ese tránsito hacia otra esfera que el arte nos proporciona. Una reunión de elementos naturales –repartidos en la realidad entre muchas manifestaciones singulares– no puede constituir el objeto del arte por sí, del mismo modo que no podría constituirlo un trozo de naturaleza. Pues semejante empirismo del arte no permitiría que se manifestase con claridad su propio supuesto, el criterio según el cual debería hacerse la elección del elemento formador del arte de entre las manifestaciones singulares ofrecidas por la naturaleza. Por eso, la esencia del arte no puede hallarse por el camino del naturalismo y del empirismo, puesto que su misión no es recoger lo dado y reflejarlo, sino que, aunque a través de lo dado, vive de la idea y pone en actividad las fibras más profundas de nuestro ser, más allá de las meramente receptivas y formadoras de experiencia.

Mas, aunque con esto se haya rechazado la pretensión de que el arte no sea sino un reflejo de la realidad, no se ha conseguido todavía fundamentar su autonomía en el sentido de la concepción moderna, porque aquí aparece en relación con la idea, y esta relación puede constituir una no pequeña dependencia. Nadie rechaza con más energía que Schopenhauer la pretensión de que el arte habría de tener un "fin". Y, sin embargo, le asigna uno: el de expresar la idea de la que su significación emana, pues mientras no salgamos de lo estético, la idea no puede ser más que un nombre para el objeto del arte; pero dentro de la concepción metafísica del mundo de Schopenhauer es una realidad independiente, y el arte constituye un medio de expresarla. Si la humanidad dispusiese de otras formas que expresaran las ideas con más exactitud que por medio del arte, la consecuencia obligaría a Schopenhauer a declarar superfluo el arte. Aun cuando el arte no pueda ser pensado de otro modo que formando las ideas su contenido, la manera peculiar como el arte crea este contenido posee para el sentimiento moderno un valor y un sentido, independientes del valor y sentido del contenido mismo, al modo como el cuerpo humano tendría para nosotros quizás un atractivo completamente distinto, si no fuese el portador de un alma y, sin embargo, esa figura peculiar tiene valor para nosotros y seguiría teniéndolo, aun cuando el alma pueda expresarse más perfectamente en otra forma. Es muy difícil deducir, tratándose de dos elementos unidos en el hecho de un modo incondicional, la esfera particular de cada uno que no puede realizarse más que en unión con el otro; pero es un mérito de la fórmula *l'art pour l'art* el haber acentuado la significación propia de la forma del arte como tal, independientemente de que acaso puede luego existir con otras significaciones histórica, psicológica o metafísicamente. Puede reclamarse subjetivamente un *l'art pour le sentiment* y objetivamente un *art pour l'idée*; pero aquella otra fórmula del arte por el arte es un tercer término que asigna al arte su propio reino, como los que el conocimiento, la religión, la moral poseen, a pesar de que cada una de ellas no se da sino ligado a otros valores que no pertenecen a sus dominios específicos. La idea tiene su realidad metafísica, independientemente de que aparezca estéticamente, de que se encarne en una forma artística, y si el valor del arte descansara exclusivamente sobre la idea que en él se expresa, y si como Schopenhauer quiere, fuera tanto más perfecto cuanto expresara la idea con mayor pureza y plenitud, resultaría entonces que no es sino un medio indiferente en sí, no habiéndose logrado separar su significación propia de todo aquello que no es arte. Esto no se consigue tampoco porque Schopenhauer ponga su esencia en la forma, puesto que toda materia, lo absolutamente individual, sólo una vez existe, mientras que la forma puede existir siempre idéntica para una infinidad de seres. Queda ahí algo más que la forma como constitutivo del arte; queda una tercera cosa, que está sobre forma y materia: aquello que puede llamarse el contenido. Por ejemplo, en una figura humana, para el sentido del arte lo primero que desaparece es la materia; lo que después de esto queda es ciertamente forma, pero no la forma artística, sino la forma de su mera materialidad, que luego se expresará en las distintas clases de artes: en la pintura, en la plástica, etc. Así la realidad, desprendida de su materialidad, lo que ofrece a la obra de arte es su forma, que para ésta y para su potencia creadora se transforma en contenido. Y sólo ahora es cuando se presenta la cuestión realmente decisiva: si la expresión de este contenido es lo que da valor y sentido a la obra de arte, si la transformación que el contenido de la realidad sufre para convertirse en contenido de la obra de arte tiene su fin en la mera expresión de este contenido interesante en sí mismo, o si hay en ella misma un interés que basta para justificar la obra de arte, aun cuando haya de referirse siempre a un contenido. Schopenhauer no ha llevado el problema a este punto de precisión, pero lo ha resuelto en el sentido de que la obra de arte existe por su contenido –es decir, por la idea–, y que todo aquello que podría llamarse lo funcional del arte: el estilo, la aplicación de los medios técnicos, la expresión de la individualidad artística, la solución del problema propio de cada arte, sólo adquiere interés a través del interés de la idea que forma el contenido de la obra de arte. Citaré un pasaje que muestra a las claras lo irreconciliable del punto de vista de Schopenhauer con el peculiar artístico. El "fin propio" de la pintura, dice, sería la comprensión de las ideas por las cuales nos vemos trasladados al estado del conocimiento libre de volición; pero, además, "le corresponde una belleza independiente de eso y que descansa en sí misma, que sale de la mera armonía de los colores, de lo agradable de la agrupación de las figuras, de la distribución de la luz y de la sombra y del tono del cuadro entero. Esta belleza de orden secundario fomenta el estado del conocimiento puro, y para la pintura es lo mismo que para la poesía son la dicción, el metro y la rima –no lo esencial, pero sí lo que primero hace impresión"–. Desgraciadamente, no hay duda alguna; al decir esto, Schopenhauer ha renunciado a una parte considerable, quizás la más considerable de aquella forma de arte, pura y sólo sujeta a sus propias leyes, como un medio de excitación que sólo obra en forma subjetiva, con lo cual, si el arte es realmente, como arte, como una conformación especial del contenido de la existencia, un fin en sí mismo, entonces será cuando precisamente todos estos elementos "subordinados" tendrán un valor *objetivo* y formarán, con los elementos que no son en tanta medida sensuales, la unidad absoluta de creación de la forma artística. Después que Schopenhauer salva victoriosamente la autonomía del arte de toda dependencia respecto de la experiencia inmediata y de todo contenido, lo humilla al grado de servidor, aun cuando sea servidor de un contenido de significación metafísica.

Para someter, sin embargo, a unidad a estas concepciones divergentes del arte sin forzar ninguna de ellas, sería necesario acudir a un motivo que resuena en Schopenhauer, pero que no se desarrolla con plenitud por impedírselo su pesimismo. Quizás exista una armonía entre las normas artísticas interiores de la obra de arte y su capacidad de expresar un contenido del mundo; una armonía tal que bastaría seguir aquella normativa inmanente del interés simplemente artístico, para que se manifestase también al cabo el sentido no intuitivo del contenido expresado, encontrándose ambos esfuerzos a partir de un cierto grado de perfección, sin que ninguno de ellos sea infiel por el otro a su dirección propia. En este punto se cruzan los últimos problemas de las diversas artes. Por ejemplo, el problema del arte del retrato: crear un conjunto de valor pictórico, que al propio tiempo represente con fidelidad al modelo, cuando depende de la casualidad el que la realidad del modelo deje espacio a las exigencias interiores de la obra de arte; la doble exigencia impuesta al verso, de reflejar por medio del atractivo de su forma y de su música la importancia y valor sentimental de su contenido; el problema de la arquitectura y de las artes decorativas, de hacer que por la composición del todo, las condiciones especiales del material, el peso y la flexibilidad, la expansión, la rigidez, la estructura orgánica, se armonicen y produzcan la impresión aquietante que se quiere producir, y esto por la forma, que como disposición de superficies, distribución de luz y de colores, como estructuras geométricas, sean suficientes para agradar y a la vez tengan significación propia. La más profunda felicidad que el arte proporciona está en esta armonía sorprendente y, por así decirlo, inmerecida de valores que en la organización y concepción del mundo viven sin relación recíproca; frente al acaso con que la existencia inmediata presenta las series de valores, tan pronto en armonía como en disonancia, el arte garantiza la necesidad que, aun cuando únicamente desde este punto de vista, las reúne en sus últimas profundidades. Schopenhauer no pudo resignarse a reconocer esta última significación sentimental del arte, que une su valor artístico y el valor que dimana de su contenido y pone en esta unión todo el significado del arte, porque contiene un momento de felicidad en el arte que no se compaginaría con su pesimismo radical. La felicidad que del arte puede venirnos no tiene para él más que un sentido negativo, como toda felicidad; no consiste más que en la liberación de la voluntad y su tormento. Por consiguiente, todo el significado del arte se agota en la mera concentración del interés en el aspecto de representación del mundo, en el refugio, en el único mundo al que no llega la realidad, esto es, la voluntad y el dolor; en la separación de este último, en su negación, en esta liberación, en este no sufrir, está toda la felicidad que el arte, puesto en el lugar de la voluntad del mundo, puede otorgarnos. Así se comprende que Schopenhauer no pueda atribuir al arte ningún motivo fundamental sintético, del cual hubiera de fluir una felicidad positiva, independiente de aquella mera liberación de la voluntad; el hecho de que en el estado estético nos llena el contenido de las cosas –mientras que su ser se refiere siempre a nuestros intereses relativos– puede ya constituir la felicidad estética, si como tal felicidad no ha de consistir más que un mero no querer. De igual manera que el pesimismo absoluto le había falseado la significación de la voluntad en relación con el sentimiento, ocultándole el valor eudemonista de la aproximación al fin definitivo, le oculta aquí aquellas características específicas del arte por las que desarrolla un valor eudemonista que va mucho más allá del mero acallar de la voluntad.

Sería injusto, sin embargo, ver un intelectualismo en la estética de Schopenhauer porque subjetivamente se encuentra basada sobre el dominio exclusivo de la conciencia, y objetivamente en el contenido de ideas de las cosas. Cabe dar una interpretación a su concepto del arte –el más lleno de significaciones en una filosofía tan precisa como la suya–, que atenúa en cierta medida esta degradación del arte, por la que se lo convierte en simple medio de expresión de la idea, considerada como lo único que tiene valor e interés. Esta interpretación puede formularse del siguiente modo: Lo esencial y lo que proporciona la felicidad en el arte no sólo es que por medio de él se expresan las ideas, sino que está también en la propia *expresión* de estas ideas. Estos dos motivos fluyen paralelamente en Schopenhauer. A primera vista se diría que lo único que importa es el llegar a tener conciencia de las ideas; pero luego parece que también importa el que las ideas se manifiesten en la materia sensual. Tenía que reconocer que la idea no es en sí "bella"; bella lo es más bien la cosa en que la idea se hace visible con cierta claridad y perfección, y tanto más bella en la proporción en que mejor realice está función, en que nos lleve con mayor seguridad a la comprensión de las ideas. Así, lo que llamamos feo o antiartístico serían seres u obras que no nos permitiesen ver claramente su idea en ellas en aquel estadio del ser que debe expresar esta manifestación. Este elemento negativo de lo feo es acaso lo que con más claridad permite que se interprete su concepción de lo estético. El que la belleza no radique en la idea, ni que la forma sensible sea la portadora indiferente de esta belleza, se muestra en que, a la inversa, la mera no existencia de la idea no puede dar lo feo; fea lo es tan sólo la cosa sensible en cuanto le falta la idea o, mejor dicho, en cuanto, según su estructura y la de nuestra alma, nos dificulta para observar la idea que en ella, lo mismo que en lo "bello", vive. En sí mismos los objetos debían ser todos igualmente hermosos, ya que no hay ninguno que no sea el ejemplo de una idea; para un intelecto que se acomodase exactamente a esta estructura objetiva de las cosas, el arte no sería necesario ni aun posible. Pero como nuestro espíritu humano sólo tiene una relación imperfecta, casual, variable con las ideas, lo bello se le aparece precisamente según las diversas medidas en que los fenómenos le revelan las ideas, pues para aquel espíritu absoluto para el que todo es hermoso en la misma medida, nada sería bello en realidad, ya que la belleza pierde su sentido y deja de experimentarse cuando se encuentra en la misma medida en cada punto de la existencia. Si hay ciertos animales que se nos aparecen siempre como feos, esto no se debe a que falte en su manifestación objetiva la idea, sino en que por una inevitable asociación de pensamientos los comparamos con otras cosas, en virtud de cuya comparación resulta aquella fealdad –así el mono nos recuerda al hombre, la rana barro y fango, porque nos impide ver el ser ideal que en ellos se refleja–. Por ello, al decir Schopenhauer que el arte no hace más que servir a la expresión de las ideas emplea una forma de expresión imperfecta, que con facilidad se presta a malas inteligencias. Pues si esto fuese exacto, el objetivo alcanzado sería ilusorio; si hubiéramos llegado a comprender plenamente todas las ideas de las cosas, y esto fuese la belleza, resultaría que no habría ya diferencias de valor estético y, en general, que no habría valores estéticos. La obra del arte consiste en que expresa la idea en algo material, en una figura concreta, que le ofrece todavía alguna resistencia, y en que no ha desaparecido por entero todo aquello que no es idea. En tal caso, la idea sería importante para el arte en el mismo sentido y en la misma medida en que lo es la conformación espiritual de una persona para el amor sexual que se ha originado sobre su base. Aunque ese amor reciba todo su calor, todo su sentido, toda su sustancia de la simpatía por aquella alma, de la misteriosa, redentora reacción que en él produce su existencia, sin embargo, no existiría como tal amor, o no existiría de tal modo, si esa alma no estuviese unida a un cuerpo. Aun cuando ese cuerpo no haya producido ninguna excitación erótica, aunque aparezca ante el ansia profunda del alma como un obstáculo que hay que salvar, que quiebra y ensombrece el rayo puro del alma, a pesar de esto parece que el alma sólo en esta forma velada, y sin alcanzar nunca la plena animación de su envoltura, puede desarrollar la energía específica del llegar a ser amado. Quizá sea éste un tipo muy general de conducta humana: la de que el interés por un objeto se dirige sólo a una parte o significación; pero no se dirigiría a esta misma parte completamente separada, sino al objeto entero en el que aquel valor se expresa mezclado con una materia, a la que no logra nunca penetrar por completo. En este sentido no habría en verdad contradicción alguna en derivar el valor y el sentido del arte de las ideas, haciéndolos visibles en los fenómenos, y a pesar de eso considerar que este valor no está en las ideas mismas, sino en el que una idea penetre una materialidad que en sí le es indiferente. De este modo es como puede hacerse de la categoría de lo bello en el arte una categoría originaria, no reducible a otros componentes, puesto que tan pronto como la idea y la cosa penetrada por ella desaparecen, el valor estético no puede encontrarse en ninguna de ellas, sin traer a esta formulación el principio de Schopenhauer, porque en ella se manifiesta como un ejemplo típico de pensamiento metafísico. No se trata ya aquí de una descripción de estados de cosas o de un análisis psicológico del arte, sino de una explicación de él, compatible con un estudio de cualquiera de esas otras clases, porque la categoría, dentro de la que se desarrolla la metafísica, tiene su esfera aparte de la esfera de la realidad, o de los fenómenos del alma o de la validez normada general. Cuando se dice que la metafísica es arte, porque con los elementos de la existencia dada realiza construcciones que no tienen la estructura de esta realidad, sino la que demandan las exigencias espontáneas de un impulso meramente ideal y extraño a la realidad, se dice una cosa que negativamente es exacta, porque la metafísica, como el arte, se desarrolla en un plano que no es del cálculo y análisis del objeto; pero en cambio, frente al arte tiene también su plano especial. No es tan pobre en categorías nuestra vida espiritual que toda imagen de las cosas que no sea ciencia haya de ser arte. En la metafísica se trata de la reacción de una intelectualidad caracterizada individualmente frente a la totalidad de la vida (aun cuando naturalmente puede manifestarse también en problemas particulares, como aquí ocurre). Esta reacción, por cuanto se refiere al todo, sólo se verifica en la forma de conceptos muy generales; una de las atracciones capitales de los grandes problemas de la filosofía está en el contraste vivo entre la pasión personal con que se siente la vida, la relación del alma con el fundamento de las cosas, el valor de lo real y de lo no real, y los fríos conceptos, la abstracción sublimada en que se expresa este sentimiento. Las ciencias exactas y el arte combinan de otra manera estos elementos; aquéllas son general-abstractas, pero no individuales; ésta es individual, pero no general-abstracta. Sólo la metafísica busca para un sentir individual –aunque no subjetivo– la expresión en abstracciones conceptuales. De este género es, por ejemplo, la reducción de toda existencia a materia y forma, y la ordenación de todos los fenómenos en una serie ideal, en uno de cuyos extremos está la mera materia sin forma, y en el otro la mera forma sin materia; también lo es la representación de una unidad interior absoluta del mundo, tal que el dualismo irreconciliable entre existencia en el espacio y en la representación no hace más que expresar aquella unidad en dos idiomas distintos; y también la idea de que el contenido todo del mundo tiene que expresarse real e históricamente en el desarrollo lógico autónomo de los conceptos, porque es el mismo el espíritu del mundo, que en nosotros vive y se desarrolla, y el que también alienta en las cosas. A este sector metafísico pertenece también aquella explicación del arte según la cual el valor de éste reside exclusivamente en las ideas, en los modelos típicos no sujetos al tiempo que revela; pero que, sin embargo, la idea no lleva en sí misma ese valor estético, sino que sólo lo adquiere en cuanto se expresa en una existencia concreta e intuible y, por tanto, de esencia distinta a la suya. No se explica así el arte desde el punto de vista del artista ni del contemplador, sino desde el punto de vista del metafísico; no es más que un aspecto particular de la respuesta que da un alma de una cierta coloración y sensibilidad a la impresión de conjunto de la existencia; el alma no hace aquí más que expresar, en los conceptos de una idea general del mundo, el sentido y el valor que para ella tiene esta manera especial en que el ser se manifiesta.

Donde los motivos de esta filosofía del arte alcanzan su culminación es frente al problema de la música. Para la música no existen las cosas singulares, cuyas ideas esenciales se revelan en las obras de las demás artes. Estas artes, por su referencia a las ideas, tienen un cierto carácter de individualidad, porque la idea, si bien es la forma y esencia tipo de miles de manifestaciones reales, frente a la unidad del ser es individual; refleja el resplandor unitario del ser en una serie infinita de grados de expresión en el intelecto humano. Y aun cuando una poesía, un cuadro, un drama estén libres de la individualización del aquí y del ahora, aun cuando en la forma de la intuición posean la misma generalidad que el concepto en la forma del pensamiento, aunque sea mucho más que la limitación de su manifestación concreta, sin embargo, visto desde arriba es una creación individual, la encarnación de *una manera* de expresarse la incondicionabilidad metafísica. Pero por medio de la música nos sentimos más cerca de esta generalidad plena, redimidos de la concreción en que la significación particular de las palabras, de las formas del espacio, de los acontecimientos, nos tienen atados en las demás artes, y que hacen que éstos aparezcan como una expresión simplemente *mediata* –realizada por intermedio de las ideas individuales– de la unidad de la voluntad. Pero la música pasa por encima de las ideas, no presenta el absoluto interior de la vida en una forma particular, sino que la expresa inmediatamente. Es una imagen de la misma voluntad, que es el ser de sus flujos y reflujos, de sus extravíos, de sus disonancias y de su ansia insaciable en busca de solución y redención. En su lenguaje expresa plenamente lo que el resto del mundo no puede expresar más que por medio de creaciones concretas fundidas en el molde de las ideas: la esencia interior de la voluntad, y además de la voluntad, antes que se haya plasmado en formas particulares no esta y aquella alegría, este o aquel dolor, este encanto o aquel terror, sino la alegría o el dolor, el júbilo o el terror, la lucha o la quietud, lo esencial del ser, que es voluntad en sí misma, escindida de todos los motivos particulares que determinan esta o aquella manifestación del querer. Por eso cuando oímos sonar una música en relación con determinadas palabras, escenas o ambiente, nos parece que nos revela el sentido más hondo de ellas, lo general e incondicionado, que en las otras artes sólo se expresa en una forma particular. Pero tampoco ella es más que una imagen de aquella realidad, la más íntima, en la que alienta el ritmo del ser metafísico. Es la realidad más perfecta, más fundamental, más general, pero está lejos de la realidad misma; es el sentido y la forma vital del ser, pero sin ser el ser mismo y, por tanto, libre de su tormento. Por eso, aun en sus disonancias más dolorosas y en sus melodías más melancólicas, es agradable, porque sólo expresa lo general, lo más hondo; aleja al espíritu, en mayor medida que las demás artes, de todo lo pequeño, estrecho, triste. Porque ofrece el absoluto, en donde cada cual sólo puede sumergirse en la medida de la profundidad de su propio ser; ha podido decir con razón Schopenhauer que oyendo una gran música cada cual siente lo que vale y lo que podría valer. Si la música excluye de su reino todo lo ridículo, y aun en sus ritmos de alegría le es esencial la seriedad, es porque su reino ya no es el reino de la representación, frente a la cual caben la desilusión y el ridículo, sino que expresa en forma inmediata el ser de la voluntad misma, que es lo más serio posible, porque de ella depende la vida entera.

Tal vez sea ésta la explicación más honda que se ha dado de la música. Lo que se siente fragmentariamente en los efectos individuales psicológicos de la música: el que la música es un arte único, frente al cual todos los demás, considerados desde el punto de vista del fin y sentido del arte en general, no aparecen más que con una tentativa con medios insuficientes; esto ha encontrado en Schopenhauer su más pura y más típica expresión metafísica. Pues aquí no se describe la realidad psicológica de la música. Desde este punto de vista la peculiaridad de la música frente a las demás artes no es más que algo relativo dentro de una gradación. Ante una vieja catedral francesa o ante la madona de Castelfranco de Giorgione, ante *Hamlet* o *Fausto*, sentimos lo mismo que ante una cantata de Bach o que ante el preludio de *Tristán*, que desaparecen las singularidades de los medios en que se expresan los últimos secretos de la existencia ante lo inmediatamente que éstas se dan. Pero donde se trata del *sentido* de la música es por completo indiferente que sus realidades particulares coincidan en sus efectos específicos con las de las demás artes, de igual manera que la religión conserva su diferencia metafísica con todas las demás manifestaciones del ser y del alma, aun cuando tengan a veces significación análoga a la suya los fenómenos psicológicos del amor y del patriotismo, del arte y de la moral.

Pero no me parece que sea indiscutible el que la música pase por encima de las ideas, es decir, que no manifieste por la representación de una cosa singular la idea que va en ella oculta, sino que exprese inmediatamente el ser en la forma artística. Convendrá insistir sobre ello para conservar el valor de la explicación metafísica, aun en el caso en que su contenido fuese negado desde el punto de vista de la empiria. El punto de arranque de la música lo veo en los elementos rítmicos y melódicos del lenguaje, que, según muestra la observación en pueblos no letrados, se acentúan por medio del influjo de ciertos afectos –religiosos, guerreros, eróticos– de tal manera, que el lenguaje llega a trocarse en canto. El canto así originado no es arte, sino una manifestación natural como el grito; pertenece al ser inmediato y espontáneo del hombre, y no es aún la forma del ser peculiar, separada de las demás, que constituye el arte. Pero es suficiente para unir ciertos sentimientos, su desarrollo y sus variaciones, a las representaciones del sonido, a su altura absoluta y relativa, a su rítmica, a su dinámica, a su colorido. Pero, de igual manera que la obra de arte plástico se relaciona con el trozo de realidad al que, como se decía, "imita", esto es, conforma según la forma que le presta significación, así se relaciona la música como arte con aquel canto meramente real, natural, en el que los afectos fluyen. Toma de él su aspecto formal-sensible, y saca de él, según leyes inmanentes, la obra musical con infinitas complicaciones, refinamientos e intensificaciones, de tal manera, que la significación típica, el sentido propio del enlace entre los movimientos del alma, los sonidos se destacan de un modo puro. Y este enlace, refiriéndose a correlaciones psico-físicas ocurridas en tiempos incalculablemente lejanos y que descansan en lo hondo de nuestro ser, hace posible la reacción de sentimiento frente a la obra de arte musical que se conoce con el nombre de "entender".

Claro es que la realidad de tales relaciones entre el sentimiento y el sonido no se ve de forma tan diáfana en una cultura elevada, y ello a causa de su oscuridad, de su ser fragmentario, como el modelo de una estatua o la escena erótica, cuyas emociones se dan en una poesía amorosa. Pero no por eso deja de ser la realidad natural, cuya "idea", consistente en la lógica interior y significación de la graduación sentimental, se aparece en la música como arte y se revela de un modo penetrante en la pureza de sus formas y en la total impresión que produce. Mas, trátese de la explicación psicológica, que aquí no hemos hecho sino bosquejar ligeramente, o de otra cualquiera, no por eso queda excluida la dimensión metafísica, que es independiente de ella. Aunque la música fuese un arte "imitativo" y sacase su contenido de la "idea" de una combinación determinada de la realidad, podría, no obstante, hacer de la totalidad de la vida su objeto en el sentido que Schopenhauer quiere; de un modo psicológicamente análogo ocurre a veces que frente a una persona a la que amamos sentimos como si toda nuestra alma abrazase su alma entera, siendo así que en realidad sólo son determinadas relaciones las que nos ligan, quedando fuera de ellas un gran número de intereses, pensamientos y sensaciones que pertenecen también a "nuestra alma". También, de modo análogo, en la religión ocurre que una personalidad sagrada, que no ha sido engendrada de un modo excepcional y cuyos hechos no contradicen la marcha natural de las cosas, mirada sin embargo desde el punto de vista del sentido metafísico de su existencia, puede ser considerada como el hijo de Dios, y el sentido de sus actos puede exceder todo encadenamiento natural, como el sentido de una proposición puede exceder a las causas psicológicas de su aparición. No se comprende toda la riqueza de los movimientos de nuestra alma hasta que no se ha aprendido a considerar la autonomía de todas estas distintas esferas, cada una de las cuales concede al mismo contenido una significación distinta, un valor diferente, y lo ve como enlazado de otra manera. Por encima de todas las distintas maneras con que se pueda deducir psicológicamente la música u ordenarla estéticamente, queda el derecho de considerarla en el orden metafísico –que formula la impresión del ser en un alma individual con los conceptos más generales posibles– como el cuadro del destino absoluto del mundo, del que, en las demás ordenaciones, sólo se da una parte en cada una.

Con mayor fuerza se suscita ahora, no sólo frente a la filosofía de la música, sino frente a toda la estética de Schopenhauer, la cuestión de cómo se compagina esta idea con el pesimismo de su concepción general del mundo. ¿Cómo puede hacernos dichosos el conocimiento puro y profundo de las cosas en que el arte consiste, si lo conocido no es más que tormento? Pues su objeto no es la mera intuición espacial desprovista de alma, de cuya independización y escisión respecto de todos los encadenamientos de la vida agitada podría esperarse la mayor liberación posible de toda voluntad y dolor; de tal manera, que la concepción moderna del arte plástico, como representación y aclaración de las formas del espacio, nos preserva más que cosa alguna de vernos internados en la oscuridad y vacilación de la interioridad de las cosas, y presta al alma estéticamente productora la mayor libertad posible frente a su objeto, porque no se les supone cualidad anímica alguna que pueda empañar nuestras relaciones con ellos. Pero las artes, más allá de la mera intuición óptica y acústica, tienen, como su objeto, el todo y la interioridad de la vida, y Schopenhauer saca de eso una resuelta consecuencia que suprime por completo de la tragedia el momento optimista de "justicia poética", y no ve representado en ella más que el dolor y las lástimas de la humanidad, el triunfo de la maldad y la caída de los buenos y justos. De hecho, en esta concepción existe una ruptura entre el carácter del contenido y el goce que en su representación se siente, ruptura que Schopenhauer no puede salvar, por lo cual trata de borrar este goce y poner en la moral la simple significación de la tragedia en cuanto resignación y liberación interior de un mundo y de una voluntad de vida en que tales frutos se muestran. Pero de hecho la representación de las escenas y sentimientos de la vida llega a ser un goce estético y continúa existiendo la contradicción psicológica de que el contenido de aquellas escenas es tanto más temeroso para nosotros cuanto más hondamente y con más verdad se lo reconoce, y que al mismo tiempo este reconocimiento nos proporciona un goce que aumenta en igual medida. Esta dificultad no puede ser resuelta en el sentido de Schopenhauer, en que se supone que los puros contenidos de las cosas representadas como tales no contienen nada del tormento que, cuando son y cuando se representan como siendo, es inseparable de ellas. La lógica protestaría contra ello. La cosa que es no puede contener cualitativamente nada que la meramente representada no contenga, pues de lo contrario, no existiría aquella representada, sino otra distinta. Según el famoso ejemplo de Kant, cien pesos efectivos no contienen un céntimo más que cien pesos pensados. *Sin embargo, el*

punto de vista de Schopenhauer encierra una verdad y profundidad psicoló-
gica que en nada resulta afectada por esta reflexión lógica. En realidad, un
contenido de pensamiento personal, en el que entra el destino, produce al ahondar en él una cierta reacción sentimental que se modifica,
incluso cualitativamente, cuando ese contenido se representa como
real. La categoría del ser, el más simple y el más enigmático de los
aspectos en que se nos presentan los contenidos de representaciones,
no cambia lógicamente estos contenidos, pero sí psicológicamente, y
no solamente en el sentido de la diferencia entre los cien pesos reales y
los cien pesos posibles de Kant –de la diferencia en cuanto al "estado
de mi patrimonio"–, sino en un sentido objetivo, prescindiendo por
completo del influjo que una realidad –cuando no tan sólo el mero
contenido de su pensamiento– puede ejercer sobre mi estado. Es evidente que las cosas tristes y terribles que pasan por nuestra conciencia
nos conmueven, aun cuando sepamos que son meramente pensadas y
que nada tienen de reales. Pero esta es una conmoción de una naturaleza muy distinta a la que nos producirían si supiésemos que se trataba
de cosas reales. Y en esta diferencia se apoya el pesimismo. Aquella
categoría del ser que en nada altera lógicamente el contenido de las
cosas es la que hace entrar en el contenido la absoluta negatividad del
valor. Pues el que el mundo sea significa la existencia de la voluntad
metafísica, la cual, por ser libre –puesto que nada hay fuera de ella que
pudiera determinarla– es la causa de todo el mal y contrasentido que
en el mundo vive. Implicaría una mala interpretación de esta doctrina
el creer que su evidencia dimana de que nosotros no podemos sentir
más que el ser y, por lo tanto, el dolor sólo puede presentarse frente a
una realidad y no frente a las meras imágenes de las cosas que no nos
afectan. Esta última parte no es exacta. También la narración inventa-
da nos conmueve; a la representación del mero contenido de las cosas
contestamos con una reacción sentimental en la que hay también dolor. Sólo que a esta reacción le falta el tono de lo irremisible, por así
decirlo, que pesa sobre toda realidad; le falta lo dolorosamente irremediable del ser. La forma artística puede suprimir del contenido meramente representado de las cosas la participación que ellas tienen en la
reacción de dolor, y por eso, a pesar de que lógicamente nada significa
la mera forma del ser, Schopenhauer ve en el arte la liberación del
dolor que acompaña sin falta a su contenido en cuanto es un ser. Sólo

podrá haber discusión sobre si esta mera negatividad, este no sentir el dolor en el ser puede agotar realmente el goce positivo que psicológicamente proporciona el arte, y esto aun desde el punto de vista de la concepción que Schopenhauer tiene de la felicidad como una simple cesación de dolor, llenar un vacío, dejar de existir un deseo.

Hay en Schopenhauer un pasaje que permitiría deducir la positividad empíricamente innegable del sentimiento de felicidad que el arte proporciona de la mera positividad del dolor desaparecido. Dice que en el reino del arte no sólo estamos a salvo del dolor real, sino también de su posibilidad. Pues en este reino no puede caber ningún dolor real –a lo sumo el reflejo del mismo–, porque según su ley fundamental excluye de sí a la voluntad, asiento de todo dolor. Y esta imposibilidad del dolor es cualitativamente distinta de su mera realidad. Si la vida de la realidad nos concede pausas de sosiego en medio del dolor, siempre hay en ellas el peligro de que el sufrimiento torne de nuevo; en el oscuro fondo de esta redención momentánea sentimos cómo está sometida al acaso y cómo la misma ley que la ha traído puede sobrecargarnos en el momento inmediato con una medida colmada de dolor, sin limitación de principio, por así decirlo. La conciencia de que en el mundo estético no hay espacio para este elemento del dolor, de que no estamos en él sujetos a aquel acaso, puede dar sin duda un sentimiento de tranquilidad y de redención, que si bien no pasa en cuanto a su contenido de la negación del dolor, produce en el alma una reacción completamente distinta a la producida por el mero hecho de sentirnos libres de sufrimiento en un momento determinado. La misma diferencia que existe en la esfera de la intelectualidad entre la causalidad como enlace interior necesario de los acontecimientos y la mera sucesión de hecho de los mismos en el tiempo –aun cuando aquélla no puede hacer otra cosa en la práctica que garantir la existencia de ésta– es la que existe en este sentido en la esfera de los sentimientos eudemonistas.

Sólo que Schopenhauer parece no haberse dado cuenta de lo nuevo y fecundo de su propio pensamiento. La felicidad del arte, que había separado antes de la esfera de la realidad vivida, vuelve a introducirse en ella, al compararla con la felicidad del sueño. Pero así, la innegable diferencia cualitativa de estas dos formas de felicidad queda completamente oscura, y ya no puede explicarse partiendo del concepto mismo. Aun cuando la felicidad no sea por su esencia sino algo negativo, las diferencias que dentro de ella existen, y que no son simplemente cuantitativas, requieren causas positivas que no puede ofrecer el sistema pesimista. Y como resulta que la negación de una concesión negativa tiene por consecuencia que luego hay que hacerla en una más amplia medida, incluso de un modo absoluto, aquella negación de que el arte nos proporcione una felicidad positiva, contiene un optimismo enorme en dos aspectos. Primero, porque basta no ser infeliz para ser feliz. Suele ocurrir con las afirmaciones radicales que lo mismo pueden tomarse positiva que negativamente. El considerar a la felicidad como el mero cese del dolor, es el pesimismo más profundo; pero el que el cese del dolor sea ya felicidad, es el mayor optimismo posible. Y no depende de la afirmación misma cuál de estos dos aspectos se legitime en ella, sino del sentimiento general que cada cual tenga frente a este problema. Y en segundo lugar, el que el mundo, desde el punto de vista de su contenido, de su puro aspecto de representación, sea perfectamente estético y productor de felicidad y de dicha, me parece un optimismo que equilibra al pesimismo derivado del ser en esta concepción. El que el mundo, pensado como irreal, no trajese ya en sí la carencia de sentido, la contradicción, la desesperación de lo real, sino que en él no hubiera ni alegría ni dolor, que fuese tan indiferente para nuestro destino como son para la corriente de un río las imágenes de las nubes que en él se espejan, podría compaginarse con el pesimismo radical; pero que los contenidos del mundo pasen de la indiferencia y nos hagan dichosos, tanto más dichosos cuanto más verdadero sea el espejo del arte que nos lo muestra, significa que la estructura del mundo es apropiada para concedernos felicidad; y en una medida tal, que frente a ella el pesimismo del *ser del mundo,* aun admitido en todo su radicalismo, aparece como algo insignificante.

El pesimismo de Schopenhauer se transforma constantemente en un optimismo tal, que en un pasaje decisivo formula así uno de sus pensamientos fundamentales: "Sin tranquilidad no hay bienestar verdadero posible". No cabe duda de que esto se piensa también positivamente: la tranquilidad sería el bienestar. No se necesita ahondar mucho para descubrir la fuente de donde esta afirmación proviene. Sin duda que no hay bienestar que no tenga como supuesto "una tranquilidad", la tranquilidad de ciertas cosas y la tranquilidad frente a ciertas cosas. La senda de la felicidad corre entre dos muros, destruidos los cuales lo amenazarían miles de ataques y de obstáculos de todas partes. Pero si la tranquilidad relativa y protectora se convierte en la tranquilidad absoluta, pierde la tranquilidad aquellas notas que la hacen condición de la felicidad. El creer que la tranquilidad no significa el mero alejamiento de los obstáculos opuestos a la felicidad, sino que constituye su sustancia, es un error empírico que, en pequeño, se muestra en el vacío de la vida y el aburrimiento de tantos rentistas que habían esperado la felicidad plena de la liberación de sus negocios y de los trabajos y cuidados que traían consigo. Pero si a pesar de esto, y por rechazar esta instancia empírica, hubiera de regir el principio de la felicidad de la pura tranquilidad, sobre este principio se basaría un optimismo absoluto; entonces tendríamos que ser felices sin necesidad de excitación alguna venida de afuera, porque si no, la mera desaparición de los obstáculos no nos proporcionaría un sentimiento de felicidad. En este caso, la felicidad aparece solidariamente ligada a la esencia de nuestro ser, pues, a partir de las profundidades de éste, el producto o la forma de existencia del alma que aparece inmediatamente en el fenómeno, y que toma posesión de nuestra conciencia, siempre que en ello no le estorben influencias exteriores, exactamente lo mismo que los contenidos del mundo, basta que sea conocido según su ser más verdadero: el estético, para que produzca en nosotros la dicha. El que la tranquilidad, por serlo, sea ya la felicidad, es un optimismo radical, en el que se ha transformado el pesimismo, y que no representa sino un caso particular de la teoría de la felicidad del arte por la mera liberación de la voluntad.

Este principio da cabida, no sólo al optimismo, sino al mismo realismo que hace al arte súbdito de la simple realidad. Pues al poner la significación subjetiva eudemonística del arte en la liberación de la realidad, se la hace dependiente de la realidad misma, aunque con signo negativo. Igual que en el realismo, se mira al arte desde el punto de vista de la realidad. El arte vive en el punto de desaparición de la realidad, por decirlo así, pero no más allá de ella; la realidad se ha introducido en nuestro estado estético de la misma manera que se han introducido en nuestra vida nuestros enemigos y aquellos a quienes queremos evitar. Mientras Schopenhauer contempla al arte en sí mismo, le da la pureza y autonomía de un algo cerrado en sí mismo, que saca su valor y significación de su propio sentido positivo y de sus propias normas.

Pero desde el momento en que su pesimismo lo fuerza a buscar los en-
cantos del arte en la huida de la realidad, le hace perder su soberanía,
deja de depender sólo de sí mismo. La mera no realidad en sentido
negativo en que vive, y que significa un más allá de la cuestión del ser
y del no ser, por un error típico de pensamiento se convierte en una no
realidad, como una relación positiva de huida de la realidad se convierte en la liberación de un mundo del que originariamente no quería
saber nada.

En el fundamento del pensamiento schopenhaueriano nos tropezamos siempre con la misma dificultad: la de que mezcla el principio del
pesimismo con otros motivos de pensamiento procedentes de otros sentimientos o instintos completamente diversos. Al lado del elemento
del pesimismo que proviene en esencia del sentimiento, se presentan
en los razonamientos más intelectuales motivos que impiden llevarlo a
sus puras consecuencias. Y esto se nota, por último, en una posibilidad
de la explicación del arte, que en sí sería apropiada para salvar la dificultad y que aparece en Schopenhauer en varias ocasiones, aunque
sólo indicada. Si la significación subjetiva del arte es librarnos del querer y transportarnos a la región de las ideas en toda su pureza, con eso,
no sólo desaparece el sufrimiento, sino también la dicha, que lo mismo
que aquél está sujeta al dominio de la voluntad. Schopenhauer no se
escapa a esta consecuencia: "Más allá de aquel límite no hay ni felicidad ni dolor". Pero, no sólo no sabe designar con claridad qué es lo que
entonces le quedaría al arte en valor subjetivo, sino que tampoco puede evitar el hablar incontables veces de las *dichas* del arte. De hecho
existe en el estado estético un valor sentimental que no es felicidad,
pero tampoco mera liberación del sufrimiento, sino que es algo positivo y específico; que respecto los dos términos de la oposición
eudemonista es tan indiferente como podía serlo la moralidad. Sin duda
que es más difícil de comprender el valor peculiar de la situación estética que el de la ética, pues el valor moral se da en su unidad, a pesar de
que al mismo tiempo seamos desgraciados, y el estético, a pesar de que
al propio tiempo seamos dichosos; ya los movimientos interiores que se
aparecen como elevaciones, como puntos brillantes de la existencia,
destacan más sobre el fondo sombrío del sufrimiento que sobre el de la
dicha. Pero el que de hecho coincida la reacción estética específica
con la dicha producida por el arte y la igualdad de su efecto psicológico

en sus manifestaciones más intensas, no impide que deba afirmarse la distinción de su ser. La reacción producida frente al arte y frente a la belleza es tan primaria como la religiosa, y, por tanto, no puede tampoco describirse reduciéndola a otro valor cualquiera de la conciencia, que pudiera parecer análogo en su manifestación o en sus efectos, aun cuando al poner en conmoción al ser entero del hombre provocan la aparición de todos los movimientos del alma, el ímpetu y la humillación, el placer y el dolor, la expansión y la concentración, la fusión o el alejamiento respecto de su objeto. Precisamente esto es lo que ha inducido muchas veces a querer reducirlas a la afirmación y negación, a la combinación y posición de estas potencias fundamentales de la vida. Schopenhauer, que fue una de las pocas naturalezas verdaderamente estéticas entre los filósofos alemanes, tenía sin duda un instinto seguro de la positividad y carácter originario del estado estético. Pero si lo hubiese reconocido como tal, hubiera introducido en nuestra existencia un valor que se resistiría a encajar en la estructura del pensamiento pesimista. Sin duda que está muy alejado de aquella falta de lealtad intelectual que consiste en abandonar una convicción adquirida de algún modo por salvar un principio puesto de antemano; pero la necesidad interior de su sentimiento capital de la vida lo condujo al mismo resultado. Según su consecuencia interior, la filosofía schopenhaueriana del arte tenía que llegar a la conclusión de que dentro del estado estético se eleva de un modo positivo el valor de nuestra existencia, y esta elevación de valor aparece coordinada en el sistema de la vida a los valores de la dicha y unida a ellos en la efectividad psicológica, pero no depende en absoluto de ellos. No llega a esto porque el pesimismo no permite que el momento de valor de un elemento cualquiera de la vida descanse en otra cosa que en la redención del dolor. No hay duda de que, entre las teorías del arte de los grandes filósofos, la de Schopenhauer es la más interesante, la que cala más hondo, la más conocedora de los hechos del goce artístico, y el que sea precisamente esa teoría la que prive en principio al goce artístico de su positividad y autonomía, revela la energía usurpatoria del pesimismo con más claridad de lo que podía hacerlo su consideración en su esfera más propia: la de la comparación entre las masas de dolor y dicha de la vida.

Si Schopenhauer concede poco al arte en su significación definitiva subjetiva, me parece excesivo el último valor objetivo que le adjudica. Ahora, que este exceso aclarara lo profundo de su sentimiento artístico de igual manera que aquella escasez había aclarado lo profundo de su pesimismo. Su opinión definitiva sobre la esencia objetiva de la obra de arte se resume así: "Toda obra de arte, en su esencia, se esfuerza por mostrarnos las cosas tal como son en verdad, siendo una respuesta más a la pregunta ¿que es la vida?". Mas con esto me parece que se pone en contradicción con todo lo que antes había expuesto en su concepción del arte. Porque el arte debía librarnos precisamente de la vida; no debía hacer sino representar las formas de la existencia en nuestro intelecto en su raíz y sus leyes, pero no la realidad, no lo que es la vida. La vida es voluntad, es el juego eternamente engañoso en el que de cada fin cumplido nace un nuevo deseo, de cada punto de descanso un movimiento posterior. El arte se desprende de todo esto para flotar en aquel esplendor en que la esencia para él no es ser el reflejo del *ser,* sino el *reflejo* del ser. Y al decir ahora de pronto que el arte debe revelar la esencia de las cosas, es decir, no su mera apariencia, que debe ser la respuesta a una pregunta que penetra en la superficie de su propio dominio, implica una contradicción evidente con la significación fundamental: significa traspasar aquellos límites que debía guardar frente a la vida, y de donde recibía sentido y justificación. Pero en esta contradicción –aun cuando Schopenhauer no se dé cuenta de ella, o quizá por eso mismo– se revela con mayor profundidad el hecho de que el arte cumple la fusión de valores y exigencias lógicamente contradictorios. El arte expresa lo más exterior, la pura apariencia superficial, lo inmediato sensual; pero expresa al mismo tiempo lo eterno inefable, el sentido más íntimo de la existencia, para el cual toda intuición no es sino el símbolo. Busca la conexión peculiar de los elementos en lo que aparece y en lo que ocurre, sin apelar a las fuerzas ocultas que han producido lo que se ofrece y sin impedir que pueda existir en el mundo real como realidad; con ello busca, por decirlo así, el sentido del fenómeno. Pero, moviéndose en esta esfera, ahonda al propio tiempo en la otra, donde radica el sentido del fenómeno, el ser esencial, la significación psicológica o trascendental de que no son sino expresión todas las formas y excitaciones de la superficie. Considerada en sí misma, no es más que una manera de expresión con que indicamos la unidad de la impresión artística que no puede designarse con un concepto inmediato. Sería por completo incompatible con la significación esencial del arte el pretender reducirlo a dos sentidos parciales, que recibiesen su valor de fuentes distintas, en coincidencia mecánica, no siendo la una más que una cantidad mayor de dicha que se sumase a la otra. Al contrario; nosotros sentimos que la obra de arte, por expresar una unidad objetiva, produce una reacción subjetiva unitaria, que sólo puede ser vivida, pero no descripta mediante un concepto unitario correspondiente, por lo que en este caso, como en muchos análogos, tenemos que acudir al remedio de dos determinaciones particulares que corren en dirección opuesta. Y el que éstos no sean en último término más que los componentes que expresan *a posteriori* aquellos resultados unitarios, se ve en la reciprocidad y mutuo influjo que muestra entre ellos una concepción más profunda del arte. La explicación del fenómeno, la presentación del acontecer, el encanto sensual de colores y sonidos no son sino medios de revelar la más profunda esencia, el sentido inintuible de lo intuible, mientras que, al contrario, este valor metafísico de la obra de arte que a menudo no se percibe sino de un modo oscuro, personificado a menudo en el papel religioso y quizá también en el erótico desempeñados por el arte, es a su vez un medio para que la conformación de lo externo sea más clara y más llena de relaciones, tenga más sentido y más encanto en su mera intuibilidad y sin salir de ella. Conviene observar aquí que la teoría del arte de Schopenhauer tiene un defecto común a casi todas las filosofías del arte: el de querer dictar preceptos para *todas* las artes. Prescindamos de que sea o no posible tal determinación general. La dificultad que existe, aunque sólo sea para dar una definición general del arte, parece que induce a educarlo, y más bien parece probable que la igualdad del nombre dado a actividades tan distintas como la arquitectura y el arte de la declamación, como la plástica y la música, no sea más que equiparación hecha paulatinamente dentro de una de aquellas series típicas, en las cuales, si se toman dos miembros inmediatos se encuentran muchas semejanzas entre ellos, pero muy pocas entre miembros que están a distancia. En la serie AB-BC-CD se comprende que a través del intermedio B-C pase el mismo nombre de A-C a C-D, aunque esta igualdad de nombre no esté justificada por ninguna otra igualdad cualitativa. A veces parece muy violento pensar que la metafísica de la tragedia haya de ser también el fundamento de la jardinería. Schopenhauer no se deja dominar en absoluto en este sentido, y con frecuencia dirige hacia varios aspectos sus explicaciones metafísicas del arte. Mas, como no lo dice declaradamente, sino que mantiene el postulado de una explicación unitaria del "arte", esta imperfección simboliza la profunda verdad de que el arte reúne, en la raíz quizá no designable en que se justifica la unidad de su nombre, oposiciones que en las demás esferas aparecen como inconciliables. Debe ser lo general y, sin embargo, se limita a una manifestación concreta cerrada en sí misma, expresión de un alma absolutamente individual y, en los casos más elevados, un alma incomparable. No debe ser más que forma e idea y, sin embargo, es intuición sólo realizable en una realidad material. Es pura intelectualidad, es la representación de las formas de la conciencia separadas de toda cosa en sí y, sin embargo, debe estar desligado del principio de razón suficiente, ley fundamental de todas estas formas. Y todo esto culmina en la indicada contradicción de que el arte debe mostrarnos lo que es la vida, mientras que nos la escamotea; en que su encanto y su dicha consiste en que nos sepulta en la intuición como si ésta fuera el mundo entero, como si tras el juego de la apariencia, que desfila ante nosotros como en un ensueño, no hubiera ninguna realidad dura y sombría, y, sin embargo, en él tiene que expresarse lo más real de la realidad, el ser más auténtico y más profundo de las cosas y de la vida. Desde un punto de vista meramente lógico, esta contradicción no haría sino plantear el problema; pero quizás el arte pertenece a aquellas esferas frente a las cuales el último conocimiento al que nos es dado llegar es el de comprender los problemas que plantean en su pureza y su profundidad; y para este fin nada importa el que la teoría del arte de Schopenhauer haya venido a culminar en esta interpretación, deliberadamente o contra su intención.

La salvación estética del ser, es decir, del dolor, que realiza el arte, no puede valer según su propia naturaleza más allá de los momentos de elevación estética; mientras que nos encontramos poseídos de ella, el ser y el dolor siguen existiendo en el fondo de nuestra esencia, y el intelecto, que se ha libertado de ellos por el momento, pero que no puede vivir así duraderamente, vuelve a caer en la servidumbre en que vive respecto de la voluntad. El instante del goce artístico nos asemeja al esclavo que olvida sus cadenas o al luchador que está libre de la presencia de su enemigo poderoso, pero no por haberlo aniquilado, sino por haber huido de él; dentro de poco volverá a ser alcanzado. La insuficiencia de la redención por el arte depende precisamente de aquello mismo merced a lo cual esta redención puede tener lugar: de que no hace más que desviarse de la voluntad, de la cual necesitamos ser liberados; mientras que la redención verdadera, duradera, tiene que alcanzarla a ella misma. Y esto acontece en la esfera de la moralidad y de la ascética –a cuya consideración pasaremos ahora–, como las soluciones prácticas de la sombra problemática en que Schopenhauer había hundido a la vida.

VI. La moral y la autosalvación de la voluntad

Todas las motivaciones que da Schopenhauer para el mal en el mundo pueden ser reducidas a un pensamiento fundamental: la voluntad metafísica, pensada en su unidad absoluta, antes que el intelecto humano la haya particularizado en formas determinadas es, digámoslo así, la posibilidad de todo dolor y sufrimiento, pero no su realidad. Ésta sólo viene desde el momento en que las formas individuales le ponen algún fin aparente, luchando unas con otras y despertando el cerebro individual a la conciencia de todo esto, y al dolor. Por otra parte, pensadas estas formas individuales, las creaciones de la representación que viven en el espacio y en el tiempo antes de que la voluntad las haya penetrado y hayan adquirido categoría de ser, también ellas están más allá del mal; en lo estético aparece este aspecto de representación libre de voluntad del mundo como el más inocente y el único que nos hace dichosos. Por lo tanto, el dolor y la culpa y la contradicción interior sólo pueden originarse cuando la voluntad adopta la forma de la existencia individual, dicho de otra manera, cuando entra en la forma de la representación. El dolor no está ni en la voluntad por sí sola ni en la representación por sí sola. Sólo cuando estos dos elementos coinciden se produce el deseo —necesariamente falaz— de lo relativo en busca de satisfacción absoluta, la lucha de las distintas manifestaciones individuales, en cada una de las cuales vive la voluntad entera; el tormento de la existencia, del que sólo adquiere conciencia el sujeto individualizado. Se desprende de ahí que ha de haber tres caminos para librarse del sufrimiento y del horror de la existencia. En primer lugar, desprendiéndose la representación de la voluntad, que es la que la precipita en el apetito y el dolor, como ocurre en la creación y en el goce artísticos. En segundo lugar, suprimiendo la escisión en existencias individuales, identificando a cada sujeto con todos los demás y haciendo que así desaparezca toda lucha y contradicción y con ellas sus reflejos dolorosos, nacidos del paso de la voluntad a la forma individual. Y por último, suprimiéndose la voluntad a sí misma, empleando el sujeto la voluntad que en él alienta para querer su propia negación, a fin de que desaparezca toda posibilidad de lucha y de dolor, y el mundo torne a la nada. El primero de estos caminos es, como hemos visto, la liberación estética; el segundo es lo que se llama moral; el tercero es la santificación del hombre que renuncia, que ha conocido la esencia del mundo –aun cuando no en conceptos conscientes– y se ha sustraído al círculo del querer, encontrándose más allá de todo desengaño, de todo lo pasajero y todo lo malo, porque ya no quiere nada. Conviene que ahora describamos estos dos últimos caminos: la salvación en la moral y la salvación en la renuncia y en la negación de la voluntad.

Los fenómenos de la moral se caracterizan ante todo en su contrario. El resultado meramente natural, lógico, por decirlo así, de la individualización de la voluntad en un yo particular, es que ese yo, poseyendo en la forma de su persona la voluntad entera, "lo quiere todo para sí". Pero como existen otros "yo", y como el uno quiere lo que también quiere el otro, de aquí se sigue que el yo más fuerte invade la esfera del otro; ésta es la condición *mala*; satisface su voluntad –o al menos cree satisfacerla– a costa de otro, y se muestra indiferente ante el sufrimiento que a este otro pueda haber causado. Frente a esto se alza el fenómeno de la justicia, que hace determinar la esfera de la voluntad por los límites de las personalidades. Aquella apariencia engañosa que presenta a los individuos radicalmente separados unos de otros, que hace al uno el natural enemigo del otro y que mira el daño de este como su provecho, es quebrada por el justo, que se reconoce sujeto a las mismas leyes que los ajenos a él, y que cree por eso no deber dañar a los demás. De esta manera se respeta el límite entre los individuos, sin que el egoísmo lo pase, pues el individuo siente que más allá de él hay una existencia que no es opuesta a la suya, sino de la misma esencia fundamental.

Así, la justicia es una cosa negativa, una mera abstención, una limitación que los infinitos impulsos de la voluntad de cada individuo experimentan por el hecho de que exista más de un individuo. Lo positivo en ella es el motivo sentimental metafísico, que en sí va más allá de la justicia; la compasión, que retrocede ante el pensamiento de violentar, de dañar a otro; el sujeto se salva de la falta de consideración, que en realidad va unida lógicamente al hecho de la existencia individual, poniéndose en el caso del otro, sintiéndose con él, cuya posibilidad lógica está en el hecho de la esencial identidad entre ambos. Lo trágico de la vida más honda, la lucha entre la lógica del fenómeno y la lógica de la cosa en sí, se ha resuelto en favor de la última. Pero al mismo tiempo ya se echa de ver aquí lo que caracteriza toda la ética de Schopenhauer, y lo que la coloca decididamente en uno de los campos entre las grandes posibilidades de la filosofía moral. Para él no existe la necesidad objetiva de normas morales con valor absoluto e imperativo, sino que éstas son simples expresiones o puntos de tránsito de un hecho: del hecho de que la voluntad es una y la misma en todos los seres, y que al propio tiempo es aquello que absolutamente no debe ser. Así la justicia, el *suum cuique*, no tiene el sentido que otros le dan: el de que la justicia tiene valor en sí misma, y debe ser por sí misma, produzca en alguien dolor o placer, fúndese en una identidad metafísica o, por el contrario, en el incondicionado ser por sí de las personalidades. Por eso Schopenhauer no puede hallar otra justificación para la justicia punitiva que el fin de la seguridad social por medio de la intimidación. La pena reparadora no sería sino venganza y crueldad sin sentido. Puede rechazarse la reparación como principio de la punición por muchos motivos; mas no puede desconocerse que contiene un principio objetivo que, aun cuando imperfecto, tiene en sí mismo su razón ética, y no necesita apelar a la utilidad o a cualquier otra instancia metafísica más alta. Cuando menos es una representación posible el que el mal acontecido encuentre un equilibrio ético en el sufrimiento infligido al autor, y este equilibrio lo demanda la lógica de la moral sin necesidad de otros fundamentos sociales, históricos, teológicos, de igual manera que la lógica de la inteligencia exige que de ciertas premisas se deduzcan determinadas consecuencias, sin necesitar de otra legitimación ajena a esta necesidad interior. Y en el castigo que a menudo demanda el criminal, en el sentimiento de purificación que siente después de cumplido el castigo, puede verse el reflejo espiritual de aquella significación ideal de la pena. Pero la existencia de hechos o estados exigidos puramente por su propio sentido está fuera de la manera de pensar de Schopenhauer. Para él la necesidad ética descansa, o en los *fines* de la conducta, o en la estructura metafísica del ser general. Ahora bien, la legitimidad de estas dos clases de fundamentación no impide que al lado de ellas subsista una tercera, que no deduce de ninguna otra cosa la necesidad ética del acto, sino que la considera inmediatamente legitimada en sí misma. Sin duda que sobre cuál haya de ser el contenido de un imperativo semejante podrá haber discusión (aunque no más que sobre las instancias teleológica y metafísica). El que sea justicia o el que domine la voluntad de Dios, el que las personalidades se fundan en una unidad social o místico-trascendente, o que, por el contrario, aparezcan radicalmente con un valor autónomo e independiente, el que hayan de desarrollarse a la misma altura todos los aspectos esenciales del hombre, o que, por ejemplo, el aspecto sensual deba ser combatido y sometido al racional: todo esto se presentará innumerables veces, en una generalidad principal o referido a actos y situaciones concretas, como una exigencia que lleva en sí misma su sentido a la manera de deber, cuyo valor queda agotado con su realización, prescindiendo de que nos haga adelantar o retroceder. No se trata aquí de que los individuos, los tiempos, los grupos, no se pongan de acuerdo sobre el contenido de estos deberes y luchen cada cual en defensa de lo que estima su derecho. Para nosotros lo que importa es la posibilidad ética de que todo contenido reconocido lo sea en sí mismo, y se presente como satisfacción definitiva de un sentimiento impulsor. Para Schopenhauer, y merced a su pesimismo, está excluida esta solidaridad del deber en general con cualquier situación positiva. Para que así no fuese tendría que reconocer la existencia de un valor positivo. Toda la oposición contra la moral de Kant y de Fichte, que Schopenhauer desarrolla en los más variados argumentos, dimana en último término de que estos dos filósofos consideraban como absolutamente necesarias ciertas formas de conducta y, por tanto, las creían también de un valor absoluto. Pero de la misma manera que el valor de la existencia no puede nunca pasar del cero, tampoco ningún hacer ni ninguna situación puede tener en sí misma un valor definitivo; y con esto el mundo volvería a adquirir aquella significación en la cual se funda precisamente el pesimismo. El pesimismo no tiene más camino que, o bien introducir los valores éticos en la cadena infinita de medios y fines relativos –como Schopenhauer hace con la pena, al no considerarla más que como un medio de intimidación social– o, quitándoles igualmente su valor inmediato, desarrollarlos a partir de la base metafísica de la existencia, cuidando de que no adquieran un valor, una significación positiva, de la misma manera que tampoco la habían adquirido en el sistema de Schopenhauer el sentimiento de felicidad, de satisfacción estética. En igual sentido enseña Schopenhauer que si se quisiese fundamentar la moral –que en sí es altruismo– habría que reducirla al egoísmo. Al encerrar de tal manera los impulsos humanos en esta oposición entre impulsos egoístas e impulsos altruistas –lo que no pertenezca al uno tiene que pertenecer al otro–, olvida que hay todavía un tercer término distinto de ambos. De hecho queremos muchas cosas –las queremos por impulso inmediato o por necesidad moral– que no son útiles ni al propio yo ni a ningún tú; y a veces, aunque esta utilidad exista, no forma el motivo de la acción, sino que la cumplimos porque queremos que se produzca este o el otro resultado, que se aparezca tal cosa, o que algo sea conocido o creído. Estos contenidos de la voluntad flotan ante nosotros en objetividad pura, como algo que en sí mismo debe ser independiente de los reflejos sentimentales, placenteros o dolorosos, egoístas o altruistas, relacionados con ello. Es el caso del investigador que con el conocimiento adquirido, del político que con la victoria de su convicción, del artista que con la obra producida, del religioso que con la realización de la voluntad de Dios, se han creado un valor, del que pueden depender satisfacciones y consecuencias para los mismos que obran y para los hombres presentes y futuros; pero sin que se agote el campo de la motivación con estas relaciones entre sujetos sensibles. Más bien al contrario, aquellos fines se representan como poseídos de un valor objetivo; su valor existe aparte de que sean sentidos, de la misma manera que la verdad de un principio es independiente de que sea representado. Cierto que Schopenhauer, cuya desvaloración radical de la existencia aparecería amenazada por una categoría de valor semejante, declara que todo valor es relativo, esto es, que sólo puede existir para *alguien*. Pero si bien el valor necesita de una conciencia subjetiva en el mismo sentido que para el idealismo la necesita el mundo de los hechos, no puede deducirse de eso que el valor sólo consista en situaciones del sujeto o de otros sujetos. Siempre queda firme el hecho –quizá no explicable– de que nuestro sentimiento puede desprenderse de un fundamento subjetivo y sentir una situación, un hacer, como valioso, como debido de un modo plenamente objetivo, prescindiendo de sus resultados para el yo o para un tú. El que Schopenhauer nos tenga por capaces de librarnos de la subjetividad sujeta a la voluntad en la esfera del ideal estético y en la de los ideales prácticos, depende de que allí nos hallamos en el reino de la apariencia, del sueño pasajero, de las meras formas de las cosas, en el cual desde el principio se ve que no puede alcanzarse ningún valor positivo para la existencia, sino precisamente un huir y olvidar momentáneo de esta misma existencia. Pero dentro de los valores éticos se trata de la realidad de la vida, y por eso había que negar aquí la posibilidad de salvarse del encadenamiento en lo meramente relativo, en la subjetividad, en la negación. Pues la admisión de que, aunque no sea más que un solo factor positivo –una norma, una acción, una situación–, es bueno, bueno en absoluto, sin recibir el predicado de aquellos encadenamientos, introduciría un nuevo elemento del mundo, una nueva dimensión de valores que romperían la estructura del mundo tal como el pesimismo radical se la representa. No debe reconocerse otro valor que el del placer y dolor, así como sus condiciones y consecuencias, porque sólo haciendo el cálculo con estos factores es como se tiene seguridad de llegar al resultado pesimista.

Schopenhauer considera como el hecho fundamental de la moral la elevación del fenómeno de la justicia. Así como la justicia reconoce la identidad metafísica entre el yo y el tú, respetando los límites naturales entre ambos y conteniendo la tendencia del yo, a pesar de estos límites, tal identidad puede obrar en el sentido de destruir ese límite. Schopenhauer cree poder caracterizar al hombre moralmente noble, diciendo que hace menos diferencia de lo acostumbrado entre sí mismo y los demás. Ha penetrado lo engañoso de la individualidad, sabe –aunque no en forma de conceptos y reflexiones– que el sufrimiento de otro es en último término su propio sufrimiento, y hace cuanto puede para calmarlo, pues todo lo que el hombre en virtud de su destino puede hacer por otros, es decir, en último término, para sí mismo, es calmar sus dolores. La significación metafísica de toda moral consiste en que la unidad absoluta, supraempírica de todo ser, por tanto también del yo y del tú, se realiza en el fenómeno, lo que sólo puede ocurrir de manera que la naturaleza propia del fenómeno, la escisión individual entre los distintos seres, desaparezca. La moral no niega la voluntad, sino sólo aquello que en el fenómeno contradice la determinación fundamental de esta voluntad: la de ser unidad. Por eso sería una objeción superficial contra la ética de la identidad del ser el querer designarla como un egoísmo que ha hecho el rodeo a través de lo trascendente, y que a la vuelta de éste ya no se reconoce a sí mismo. Si yo entrego mis fuerzas, mi bienestar, mi patrimonio por otro, tan sólo porque en el fondo este otro soy yo mismo, ¿dónde está, podría preguntarse, la diferencia frente a cualquier otra conducta egoísta, que hace necesaria una cierta medida de sacrificio, de entregarse a lo que no es el yo, sin perder por eso nada de su egoísmo, para el cual todo esto no es más que un medio? La fórmula más decidida de la inmoralidad, el emplear a los otros tan sólo como medios, no podría realizarse nunca con mayor radicalismo que sobre la base de que todo aquello que yo haga por el bien del otro ha de redundar en beneficio de mí mismo, y lo exclusivo de este carácter de medio atribuido al tú aparece aquí con más decisión para el yo que en cualquier otra relación entre ambos, porque con ella no hay posibilidad de considerar el tú como fin último, sino que inevitablemente toda acción dirigida hacia él se refleja a través de la raíz común de ambos, de la unidad metafísica, en el yo. Según queda indicado, esta objeción superficial la considero equivocada. Pues aquella unidad absoluta del ser suprime, es cierto, el tú en su existencia peculiar, pero suprime también el yo. El sentido de la teoría de Schopenhauer no está en que, como yo al dañar al tú me dañaría a mí mismo, al favorecerlo a él me favorezco a mí también, sino en que la acción altruista suprime absolutamente la diferencia entre el yo y el tú, y viene en provecho del ser absoluto entero, impersonal, indiferenciado entre ambos. Cuando Schopenhauer declara como la fórmula más general de la moral: No hagas daño a nadie, sino ayuda a cada cual en la medida de tus fuerzas, enseña en apariencia el moralismo trivial de los buenos hombres dispuestos a prestar auxilio a los demás. Pero en realidad, con su fórmula no hace sino describir el aspecto práctico-exterior de la conducta moral. En lo hondo y en lo esencial, lo que importa no es esta acción entre el yo y el tú, que presupone la separación de ambos, sino que se exprese su no separación, y que la acción suprima de este modo su propio supuesto. Referida la significación propia de la ética de la identidad de Schopenhauer a otra instancia completamente distinta a la de la moral empírica de las buenas gentes, se refiere al motivo, ya varias veces indicado, que penetra su ética toda y que puede ser éste: Sé aquello que eres. Parece que es uno de los más típicos sentimientos o representaciones de la humanidad el de que todo aquello que *debemos* ser lo somos ya en alguna forma, existe en nosotros escondido o sin desarrollar como una realidad, más aún, como nuestra realidad más segura y propia. Mas, lo que parece contener una contradicción lógica es el que esta realidad penetre también y domine la parte más superficial de nuestra vida, la más irreal, por así decirlo, el que hagamos de todo lo exterior-casual expresión de nuestro ser más verdadero, y nos parece una contradicción porque nos manda ser aquello que ya somos en nuestra realidad más real. Pero esta contradicción no corresponde más que a la expresión conceptual de un ideal plenamente unitario e intensamente espiritual. Tal es sin duda el caso con la moral racionalista que pone la esencia del hombre en su razón, y que resume sus necesidades morales en la exigencia de que la razón dirija su vida, haciendo que desaparezca aquello que el yo no es propiamente: los elementos sensibles. Pero así ocurre también, aun cuando no aparezca con tanta claridad, en el esquema de la moral de Schopenhauer, para quien la exigencia ética del altruismo, del amor, de la compasión, de la ayuda mutua, no significa otra cosa sino que aquella unidad que ya son los individuos, la que constituye su esencia más honda, se manifieste también en las acciones exteriores de hombre a hombre, en aquellas relaciones entre los individuos que de ningún modo pertenecen a su más honda realidad. Su moral sigue también aquel ideal formal de que la humanidad llegue a ser lo que ya es. Si tal cosa es exacta, el principio moral de Schopenhauer tiene una grandeza acerca de la cual podría engañar lo femeninamente caritativo, lo pasivo que existe en las acciones que expresan esta moral. El pensamiento de que el hombre, al obrar moralmente, expresa, sí, su ser más profundo y propio, pero no con esto se ha expresado lo último, sino que este ser no es último y definitivo hasta que se revela como idéntico con el ser del todo, con la estructura de la unidad metafísica del mundo, es un pensamiento sublime. Pero, frente a este dogma metafísico, y en oposición fundamental con él, sin posibilidad de reconciliación ni de decisión a izquierda o a derecha, está el principio contrario de que nuestra conducta exige hallarse determinada por una individualidad inconfundible, porque ésta es el último elemento del ser y no hay ninguna unidad total por encima o por debajo de la personal. El "sé" aquello que "eres" no significa, según esta concepción, como en Schopenhauer: Sé lo que también es el otro, sino, por el contrario, sé lo que el otro no puede ser, lo que tú exclusivamente puedes ser, porque la estructura absoluta, real, como ideal del ser, se basa en la existencia independiente de seres individuales; en que se limitan y oponen unos a otros. Este pensamiento de la individualidad, que llega hasta el fundamento mismo del mundo y que se revela en la conducta como su valor moral, es inaceptable desde el principio para Schopenhauer, porque con el valor definitivo e irreductible de la personalidad en cuanto tal se introduciría en la representación del mundo un elemento de valor incompatible con el pesimismo; porque el valor de la personalidad está más allá de aquel cálculo de proporción entre el dolor y el placer; es más, está por su concepto fuera de un cálculo en el conjunto de valores de la existencia, y permanece firme en su significación peculiar positiva, aun cuando el mundo se precipite en un abismo de dolores y negaciones.

Schopenhauer está, pues, por encima de la sospecha de no haber fundado con la ética de la identidad otra cosa que un egoísmo sublimado, ya que la acción altruista no vuelve al yo, sino a una instancia más alta que no participa ni del yo ni del tú en el sentido concreto de ambos. Pero por eso mismo surge contra él un reparo más serio desde el punto de vista del sentimiento moral. Tanto más cuanto que él rechaza resueltamente la pretensión de fundar una nueva moral no proponiéndose sino explicar el fundamento y sentido de las representaciones morales efectivas. Pero, si no se mira como hasta aquí desde las acciones en que se manifiesta al fundamento metafísico de la moral, sino al contrario, desde este fundamento se contemplan las acciones reales, el altruismo pierde su sentido de igual manera que antes lo había perdido el egoísmo. Pues así como que la significación de lo moral era realizar en las relaciones de los fenómenos individuales la unidad metafísica de los seres, a pesar de que esta unidad está negada por la individualización, la significación de *contenido* de la moral no puede ser otra que la supresión del tormento de aquel fundamento absoluto del mundo. Sin duda que el altruismo es un hecho dado en el mundo de los fenómenos individuales. Pero el dolor del fenómeno no sólo es apariencia, sino realidad absoluta, porque es expresión de nuestra vida de voluntad. Por ello, el aumento del dolor y su mitigación van más allá del punto periférico y de la existencia en que está nuestra personalidad y penetra en su núcleo, en la cosa en sí, en cuya unidad coinciden las líneas que vienen de todas direcciones. Y si esto es así, ya no habrá razón alguna para poner por encima de mi propio bien el bien de otro, pero tampoco la habrá para poner el mío por encima del suyo. Si el placer y el dolor de la realidad coinciden en un mismo punto, si todos los valores aparecen así confundidos, resultará indiferente por completo que se llame yo o tú el lugar donde, dentro del fenómeno, se manifiestan las distintas cantidades del uno y del otro, y a partir del cual adquieren su significación verdadera llegando a aquel centro común, pero perdiendo al propio tiempo su origen. Si desde el punto de vista de la instancia metafísica decisiva el tú es tan bueno como el yo, también será el yo tan bueno como el tú, y no habría razón para que una acción que reportara al sujeto una cierta medida de felicidad hubiese de ser menos valiosa que la que se le proporciona a su prójimo. Éste es el fundamento más hondo del principio que da Schopenhauer a la máxima moral que ordena amar al prójimo solo "como a sí mismo", que se le coloque prácticamente como igual a uno mismo. Más aún, un sacrificio que exceda del realizado en el amor de sí mismo le parece un contrasentido. Pues significaría que podrían existir circunstancias en las cuales yo sacrificara una cantidad relativamente grande de felicidad, cuando el otro no adquiriría más que una cantidad relativamente pequeña a cambio. Y como una acción semejante reducidiría la cantidad total de felicidad que pudiera adquirirse, la cantidad total que recibe la unidad de ser metafísica prescindiendo de la particular contribución de cada sujeto, una tal acción resultaría condenable y desprovista de sentido.

Es notable la manera en que el rigor de la consecuencia sistemática ha hecho sordo a Schopenhauer para percibir su contradicción en este punto con la efectividad del sentimiento moral. Pues si éste es altruista, juzga sin duda que el valor moral de una acción no termina en la equivalencia entre el propio sacrificio y la ganancia ajena, sino que por el contrario, aumenta cuando la proporción entre ambos se altera en perjuicio del yo. Pero admitiendo esto Schopenhauer habría dejado entrar un valor sustantivo de la conducta moral, que sería independiente de ese cálculo de su significación eudemonista, que es el pesimismo. Aun cuando Schopenhauer aleja de la moral todo interés egoísta de felicidad, la asienta sobre la felicidad y el sufrimiento en general, en la proporción entre ambos, cuyo portador unitario es el ser supraindividual. Por tanto, desde el momento en que una acción fuera valiosa moralmente, aun cuando adquiriese, consciente o inconscientemente, una felicidad pequeña del tú a cambio de un sufrimiento superior del yo, desde ese momento encerraría el mundo una categoría de valor que no podría enlazarse en la medida que domina en el pesimismo, y que de este modo haría ilusoria su balanza de los valores del mundo. Tal vez puede sacarse de aquí una conclusión, que exige la mayor reserva, porque puede inducir a los más peligrosos errores y abusos; Schopenhauer no hubiese acaso forzado aquel hecho de conciencia relativamente trivial, pero profundamente enraizado desde el punto de vista ético, si él mismo hubiese sido una naturaleza ética. Esto no significa ningún juicio de valor moral; aun cuando sólo fuera porque, para el desarrollo del espíritu, las naturalezas que como la de Schopenhauer están orientadas en un sentido estético-intelectual tienen tanta importancia como las naturalezas con tendencias éticas, y también porque no debe tomarse el sillón de juez frente a oposiciones tan elementales, de las cuales no puede faltar ninguna sin modificar de un modo incalculable la manera de ser de nuestra especie. Lo opuesto a las naturalezas éticas no son las artísticas, sino las estéticas. Nietzsche tenía una naturaleza artística y ética. Schopenhauer estética y no-ética. Cuando habla de conocimiento del arte y de la naturaleza parece que habla de cosas personalmente sentidas, mientras que cuando habla del ideal moral y de su perfeccionamiento en la autosupresión de la voluntad más bien parece percibirse que habla de lo que constituye su ansia, y que no se hace ilusiones respecto a su realización. Ésta debe de ser también la razón en virtud de la cual le falta una recta medida para los hechos de la ascética y de la negación de sí mismo, y de que acepte sin crítica hasta sus degeneraciones poco puras y patológicas. Ésta es una posición típica frente a esferas de vida a las cuales damos un gran valor y por las que sentimos admiración, sin poseer, no obstante, un verdadero sentimiento interior para ellas. El que considera como suya una esfera de la vida, el que de algún modo tiene participación en ella, por mucho que venere sus manifestaciones más elevadas ha de conservar siempre en sí una medida para ella y no perderá fácilmente la facultad crítica, poseyendo ante todo un gran instinto para lo realmente puro, que le faltará al que viene a este campo desde afuera. El dualismo que constituye la forma general de existencia del alma humana y el ritmo en que todas las variedades hacen sonar sus melodías, se expresa, entre otras formas, en una oposición fundamental, por medio de la cual se inclina el dualismo ante su propia ley: la escisión entre la unidad y la pluralidad. Esta oposición alienta en los problemas teóricos en que se trata de reducir elementos a una unidad o una pluralidad de elementos últimos; vive también en lo práctico cuando se presentan frente a frente el ideal de la fusión, del hacerse uno, y el ideal de la independencia y separación de las personalidades. Y como la ética se fundamenta metafísicamente, se combinan en ella de las maneras más distintas ambas especies de oposición. La exigencia ideal de que los seres *deben* llegar a la unidad no se detiene ante su diferenciación metafísica y ante la consideración de que en última instancia sean irreconciliables; antes al contrario, a pesar de toda la unidad metafísica, puede subsistir el anhelo acaso irrealizable de que cada hombre sea una totalidad cerrada, un microcosmos con su centro en sí mismo. Según hemos visto, Schopenhauer considera a la moral como la restauración práctica de la absoluta unidad de la cosa en sí, superando la escisión provisional en individuos separados. Pero, aun reconociendo la profundidad metafísica de este ideal, creo que no llega a la hondura del verdadero problema metafísico. Pues si no estoy por entero equivocado, tomando en toda su amplitud aquel problema, la dualidad entre el yo y el tú va mucho más allá en lo profundo del ser de lo que puede abarcar la explicación metafísica de Schopenhauer. Podría aceptarse acaso que el problema de la moral está en la superación de esa dualidad; pero la solución de este problema está, no sólo para el fenómeno, sino también para la última realidad del hombre, en el infinito, y no puede contarse para ésta con un salto en una unidad trascendente sin que la exigencia pierda su seriedad y su significación fundamental para la existencia. Pero me parece demasiado sencilla la formulación del problema de la moralidad como reducción de la dualidad a la unidad; encierra la multiplicidad de las relaciones que entran en la esfera ética dentro de un esquema incapaz de contener toda su riqueza. Las incontables exigencias morales que el hombre ha de cumplir en su relación con los demás, no quedan descriptas en la forma de que de dos resulte una unidad. Y no es sólo eso, sino que, precisamente en las mayores alturas de la moral, la dualidad subsiste; precisamente los más ricos y profundos valores morales se producen en acciones y relaciones, en sentimientos y sacrificios, bajo el supuesto de la plena autonomía del valor individual de las personalidades. Acaso no sea imposible ver la unidad y la variedad como los polos de nuestra conducta moral, y descubrir en toda acción moral una determinada medida de ambos como su característica. Pero no es que la acción sea tanto más valiosa cuanto menos dualidad y más unidad se evidencien en ella; creo al contrario que la gran elevación de la moral está en que las relaciones de los hombres contengan la plena dualidad y al propio tiempo la plena unidad; el acontecimiento moral entre hombres, es aquel en que se logra resolver este problema –que en apariencia es contradictorio desde el punto de vista conceptual–; es aquella relación en cuyas formas más altas no es preciso que la dualidad desaparezca para convertirse en unidad. No puedo negar que todas las representaciones schopenhauerianas de la esencia de la moralidad, la unidad del yo y el tú, la supresión de la diferencia entre uno mismo y el otro, la igualdad entre el amor al prójimo y el amor a sí mismo, todas ellas son inexactas. Aquella unidad metafísica que ha de recoger en sí las diferencias de la individuación hace estancarse como en una sustancia a las relaciones vivas, altamente variadas, de la moralidad, de igual manera que cuando se reputaban ser el "espíritu de la vida" sustancial, unitario, todas las innúmeras funciones y relaciones mutuas que se dan entre los órganos de un ser viviente. El amor a otro y el amor a sí mismo no son tan idénticos que sólo varíe en ellos el sujeto, manteniéndose en lo interno el mismo estado, sólo que unas veces referido al yo y otras al tú. Esta idea, que ha venido rodando a través de los siglos y a la que Schopenhauer ha dado una altura metafísica, es una idea grosera y una falsedad psicológica. Sólo en un sentido completamente traslaticio puede considerarse el egoísmo como si en él nos distribuyéramos en sujeto y objeto, de tal manera que el sujeto sintiese hacia sí mismo como objeto lo mismo que, referido a otro, se llama amor. No sólo el objeto sino el sentimiento son en ambos casos enteramente distintos, y sólo el que el mismo objeto exterior pueda darse al otro o ser conservado para mí, pueda concedérsele o robársele, es lo que pudo haber dado origen a esta idea, según la cual sería también la misma acción en lo interno, limitándose a cambiar el punto de dirección como amor al prójimo o como amor de sí mismo, de la misma manera que el revólver no hace más que cambiar la dirección según que se quiera cometer un asesinato o un suicidio. Las cuestiones psicológicas sobre hechos sentimentales no pueden ser resueltas sino por la experiencia personal-subjetiva, y así quisiera afirmar que quien ahonde de veras en el estado psicológico que acompaña a una conducta egoísta y el que acompaña a un amor que se sacrifica por otro, tiene que sentir diferencias cualitativas fundamentales entre ambos, una vida totalmente distinta, dos sentimientos fundamentales que no consienten ser comprendidos bajo un común denominador.

Parecería que no vale la pena hacer estas críticas, ya que en sí es indiferente por completo que Schopenhauer se haya equivocado acá o allá, y puesto que frente al que da, lo importante es lo que de él puede aceptarse y no lo que hay que rechazar. Pero lo que enseñan estos errores de Schopenhauer, porque es lo típico del pensamiento humano, es el que todos convergen en un punto; a saber: el esfuerzo por reducir todos los movimientos de la existencia a dos corrientes, la del valor positivo y la del valor negativo, que se reúnen en un solo punto a consecuencia de la fundamentación metafísica del mundo, y en que por no haber ninguna diferencia cualitativa entre ellas, por no ser incomparables sus dimensiones de valor, tenga que producirse aquel resultado unitario que fundamenta el pesimismo. Por eso, había que llevar la esencia del altruismo tan abajo que llegase a perder su sentido específico y a no tener más valor que como factor en el resultado eudemonístico general alcanzable también mediante el egoísmo, una vez desaparecida la distinción entre el yo y el tú; por eso la acción moral no podía exigir sacrificios mayores que la felicidad producida en el otro: de lo contrario adquiriría un valor fuera de aquel cálculo cuantitativo; por eso la moral sólo podría consistir en la supresión de toda diferenciación personal, en la fusión del yo con el tú, porque si la sustantibidad de ambos fuese condición indeclinable del valor moral quedaría amenazada aquella unidad total metafísica en que el hacer moral desliza su significación de valor para equilibrar en absoluto la balanza del mundo.

Esta reducción de todos los valores personales a la instancia metafísica que fundamentalmente no conoce más que placer y dolor, y de hecho sólo dolor, culmina propiamente en la afirmación de que todo amor es compasión. Puesto que la sustancia de la vida de los seres es el dolor, los actos del amor no pueden ser otra cosa que la mitigación de los dolores de los otros. Así, el conocimiento del dolor ajeno, que en virtud de la identidad del ser sentimos como igual al nuestro, es el motivo de todos los sacrificios, el motivo para el cual el amor no es más que un nombre peculiar. Se ve aquí claramente cómo han sido forzados los hechos lógicos y psicológicos, por la tendencia a reducir a la unidad el dolor individual. Pues si el amor no fuera otra cosa que compasión

¿cómo lo diferenciaríamos de aquella compasión a la que no calificamos de amor? Quizás adquiriese un sentido más profundo el principio de Schopenhauer si se lo invirtiese diciendo: toda compasión es amor; si así fuera, se explicaría el misterio del amor en un sentido no muy distinto del cristiano, incluso en la relación con los enemigos, con los indiferentes, con los despreciados, mostrándose así como posible elemento de unidad de todas las relaciones humanas, ya que de ninguna de éstas se encuentra excluida la compasión; sólo que Schopenhauer tenía que rechazar esto, porque con ello se crearía un valor irreductible a su explicación del mundo. Y, por lo tanto, queda en pie la cuestión de cómo podrá separar al amor que es compasión de la compasión que no es amor. Por eso, junto al amor que es compasión aparece como específicamente distinto el amor como amor, y nada más, a la manera de un último elemento del mundo y del valor. Y al no querer admitir esto Schopenhauer, por las razones ya indicadas, profesa un error que yo creo ver en todas las representaciones corrientes del amor. Cuando el amor es correspondido, y parece llegar así a la perfección a la que según su esencia y sentido está destinado, el lenguaje usual lo llama "feliz"; con esto se expresa que el amor, según su directiva interior, está destinado a terminar en un sentimiento de felicidad; sólo cuando se ha convertido en felicidad ha realizado su idea, mientras que, cuando la falta de correspondencia trunca su desarrollo, cuando no puede desplegar todas sus posibilidades, se lo considera como "desgraciado". Pero con esto me parece que queda destruida la propia significación del amor, incluso como fenómeno interior, en beneficio de una manifestación secundaria. En la serie de los acontecimientos de la vida interior el amor se presenta como una cosa valiosa en sí, como un gran acontecimiento, y el que llegue o no a su perfección plena no depende en modo alguno de que sea feliz o desgraciado, sino de la propia constitución del sujeto, que le da la suprema medida, a veces en uno de estos casos, a veces en el otro. El doble sentido de la felicidad coloca al amor en una dependencia completamente equivocada respecto de su reflejo eudemonista, y el amor aparece en su propia significación y desarrollo como rudimento, como algo que no alcanza toda su significación sin llegar a ser feliz. Que el valor que el amor posee para el alma y que ayuda a conseguir al alma sea determinado por el eco que encuentra y por los reflejos sobre el mismo, y que vaya acompañado de distintas sensaciones eudemonistas es indudable; pero, por encima de todo esto, su valor subsiste como algo único e independiente, como una función de la vida que le da a ésta una nueva e incomparable significación, y que puede unirse en todas las combinaciones posibles con la felicidad y la desgracia, sin perder por tales combinaciones la sustantibidad de su significación.

Por mucho que difieran la confusión de la conciencia popular que hemos criticado y la teoría del amor de Schopenhauer, coinciden, sin embargo, en un punto esencial: en el desconocimiento del valor propio, irreductible a otra cosa más general, del amor entre los demás valores de la vida, desconocimiento que en la conciencia popular se da en una medida relativa y sin claridad, y que Schopenhauer realiza absolutamente y con claridad completa. En el amor con su personalidad plena y sustantiva, y con su valor que está más allá de felicidad o desgracia, era donde se alojaba el último peligro para la reducción de todos los valores de la vida a una instancia absolutamente unitaria en la que se hiciese el cálculo, basándolo en factores meramente eudemonistas. Por eso buscó en la teoría de la compasión el medio genial para que el amor recibiese su razón de ser de la oposición de los individuos, haciéndolo consistir en la supresión de esta oposición, y para que el punto de esta fusión estuviese en el sufrimiento, en el cual se reúnen todos los valores de la vida para poder ser comparados entre sí de un modo puramente cuantitativo. El amor debía carecer de raíz sustantiva, como el goce artístico, como las relaciones morales entre los hombres.

En todas estas esferas, supo Schopenhauer escoger el único camino por el cual podía hallar una unidad para los más heterogéneos valores de vida, que en realidad existen cada uno por sí. El camino era elevar a la categoría de sustancia lo negativo que hay en ellos, la supresión de la voluntad de la existencia personal, del dolor. Esto se da con gran frecuencia en las cosas humanas. Personalidades movidas por las más encontradas tendencias sólo llegan a entenderse para una acción común en virtud de una común enemistad, del interés de ambas en la destrucción de algo; tan pronto como se trata de construir, vuelven a separarse irreconciliablemente las direcciones prácticas. A menudo ocurre que en grandes votaciones sólo se llega al resultado de rechazar las proposiciones presentadas, mientras que es muy difícil reunir a los votantes en una opinión afirmativa común. En el antiguo Egipto hay un curioso ejemplo de esto. Cuando en un período determinado se trató de la unión religiosa de los distritos que hasta entonces habían sido independientes, resultó que en uno de los distritos estaba prohibido comer una especie de animales, en el segundo otra especie, en el tercero una tercera, etc. Y para reunir todos estos usos en uno general, no hubo otro recurso que el de prohibir comer carne en absoluto. Sólo era posible unir todas estas costumbres religiosas en su aspecto negativo: con lo que positivamente permitían no hubiera sido posible construir una unidad. Toda la teoría de los valores de Schopenhauer y su fundamentación ética siguen este procedimiento. Era preciso reunir en un punto de vista todos los valores para que coincidiesen y se pudiesen comparar entre sí según exige el juicio del pesimismo. Era preciso que desapareciese lo positivo y con ello lo específico e incomparable del goce estético, de la moralidad, del amor, de nuestra actividad espiritual entera, que no es para Schopenhauer más que "un aburrimiento siempre combatido"; era preciso que todo ello desapareciese en el fin de suprimir el sufrimiento, para hacer así de esta homogeneidad factores de un cálculo único de los valores de la vida.

Conviene observar ahora –y el comprenderlo así lleva a los últimos fundamentos del sentimiento ético de Schopenhauer–, que en él todos estos valores morales, que descienden hasta el fundamento del mundo, no se manifiestan en la forma del deber. Y esto no sólo en el sentido de que niegue al filósofo moral el derecho a predicar moral, porque no tiene que mandar sino solamente que conocer, sino que incluso niega que la pura vida moral salga de un deber, de la conciencia de un imperativo que nos obligue. No hay más "deber" que el que está determinado por recompensa y pena, ni más "obligación" que la que se ha tomado como el reverso de un derecho, es decir, la que al contraerse asegura una ventaja. El deber separado de todo "fin", el deber categórico válido por sí mismo, tal como Kant lo enseñaba, es una construcción conceptual nunca realizada y, en realidad, contradictoria. Ya se indicó antes, y esto será más claro después de lo dicho, que el rechazar un deber ideal de una validez absoluta depende de la concepción pesimista; pues si existiese un deber en el sentido de Kant, un deber que debe ser cumplido por ser deber y no por otra cosa, este cumplimiento sería un valor de la vida que no podría incluirse en la balanza de dolores y alegrías. El valor de una acción que no se ejecuta en vista de un fin, sino por razón de un deber, es tan absoluto como el imperativo mismo al que obedece, y no necesita ser legitimado por ningún punto de vista superior. Schopenhauer no puede reconocer este valor que destrozaría la unidad de su concepción del mundo. Pero el sentido de esta negación del punto de vista kantiano no se agota en aquel motivo, que no representa más que un interés particular, por decirlo así, de la filosofía pesimista. En realidad se trata aquí de las oposiciones últimas y más hondas que pueden darse en la concepción del mundo ético. Procuraremos poner de relieve cómo en la aparente superficialidad del concepto del deber de Schopenhauer, que lo hace agotarse en fines de vida empíricos, se expresa un sentimiento y una concepción de la vida interior que, con el de Kant, constituye una de las dos grandes posibilidades de la comprensión ética de nuestro yo.

Se enfrentan aquí las siguientes concepciones: de una parte, la de que nuestra conducta es expresión de un ser fundamental e inmutable y, de otra parte, la de que nosotros, como portadores de los valores prácticos, poseemos la facultad de realizar acciones no determinadas por la unidad inmutable de un ser y que *pueden* conformarse a la exigencia moral. Esta oposición no equivale exactamente a la oposición entre libertad y determinación. Esta última alternativa se interesa tan sólo por la *posibilidad* de llegar a una de aquellas determinaciones. Éstas son las que expresan el juicio definitivo sobre la estructura más interna de nuestro ser; en ellas se formulan los sentimientos irreductibles con que acompañamos en nosotros a las decisiones de las últimas instancias. La cuestión de si esto se compagina con la causalidad de la naturaleza o la contradice es aquí secundario, pues relaciona aquella contradicción con exigencias de un campo completamente distinto, y el que esta relación se establezca segura o difícilmente, no puede alterar por de pronto aquella decisión que se limita a la fijación conceptual de un hecho de la vida interior.

El que la esencia del individuo sea su voluntad, es lo que presta a Schopenhauer su convicción de que la cualidad moral del individuo es siempre la misma: una cualidad innata; una esencia inmutable a la que, siendo su ser, no puede escapar el individuo. Nuestro hacer está determinado en este modo de ser y con él, y no es más que el medio a través del cual llegamos a conocernos paulatinamente nosotros mismos. Las distintas acciones no se deciden cada vez de nuevo y según ellas mismas; no es, como pretenden las construcciones kantianas, que la voluntad entre en cada caso con una decisión exclusiva para aquel momento y nacida en él, sino que, porque somos como somos, es por lo que la decisión tiene que ser así necesariamente. Con esto queda negada la exigencia del deber y su incondicionalidad. Pues sáquese ésta de la profundidad que se quiera de la razón y de la conciencia del que obra, siempre resultará que es una cosa exterior a la voluntad que ha de tomar la resolución definitiva, apareciendo frente a ella siempre con un: Quieras o no quieras, ha de ser así. Y esto carece de sentido cuando la cualidad de la voluntad a la que se refiere el deber está de antemano fijada de un modo inmutable. La frase fichteana: "El que diga *no puedo* es que no quiere", expresa la flexibilidad inagotable del alma, capaz de satisfacer todas las exigencias morales, sean las que sean, y por esta razón es el correlativo del imperativo categórico del deber que, salido del mundo de los valores, rige en la realidad, obedézcalo ésta o no, porque es su propia última instancia y saca de sí misma su legitimación, y no de la realidad. Con esto se suprimen todos los obstáculos que, nacidos del ser individual originario del alma, pudieran oponerse al cumplimiento de la ley; pero al mismo tiempo se crea una dificultad que para los conceptos resulta muy difícil de superar. Pues aquel deber autónomo antepuesto a nuestra voluntad ha tenido que ser ya querido de alguna manera por nosotros, porque si no, flotaría en el aire sin ningún punto de apoyo en nuestro interior; para que pueda ser una norma de nuestra voluntad es preciso que nosotros lo queramos. Cuando Kant asigna a nuestra "razón pura" el papel de presentar a nuestra "voluntad" este imperativo nacido en el mundo del ideal, no resuelve en realidad el problema, limitándose a darle una formulación. Confieso que no conozco ninguna explicación plástica bastante clara de este proceso espiritual en el cual sentimos que todas nuestras facultades volitivas se rebelan contra un deber que, sin embargo, tiene que ser al mismo tiempo de alguna manera un querer, puesto que al cabo, y sin que aquellas resistencias disminuyan, terminamos por seguirlo. Quizás nos hallamos ante uno de esos procesos fundamentales que no podemos comprender en su unidad, sino sólo podemos describirlos por un círculo entre dos elementos. El querer es dirigido por el deber, pero el deber tiene que ser a su vez un querer. O quizás en estas representaciones del deber y en su significación, que unas veces es insignificante para nuestras acciones y otras veces lo arrolla todo, esté latente una forma de la energía espiritual, cuya naturaleza especial no coincide con la de la llamada voluntad.

Cuando en sentido religioso se dice: "Señor, hágase tu voluntad y no la mía", se dice algo que psicológicamente es sin duda una contradicción. Pues lo que yo quiero que acontezca, eso es mi voluntad, y yo no puedo querer que acontezca aquello que no quiero. Y, sin embargo, con ello se expresa una realidad psicológica dotada de verdad interior, e indudable para el sentimiento, a pesar de que no sea posible encajarla en nuestros conceptos psicológicos: la exigencia ideal hecha a la voluntad de no ser ella misma dentro de su volición, de convertirse en una realidad que no sea su realidad propia, sino de un deber cuyos contenidos colocan su dignidad más allá del querer o no querer. Para Schopenhauer esa dificultad no existe, porque según su punto de vista no pueden existir aquellos imperativos opuestos a la voluntad que constituyen un mundo de valores independientes de ella. La voluntad es absolutamente única y unitaria, es el ser que en el desarrollo de su peculiar cualidad lleva a la vida del individuo con todos sus valores y negaciones de valores. Por eso, para él, el remordimiento no es otra cosa sino la conciencia de no haber obrado en consonancia con su propio ser y voluntad. Cuando una pasión ciega de tal manera al entendimiento que no le deja ver en toda su importancia las razones en contra de la acción por él aconsejada, y luego, una vez consumado el hecho, estos motivos aparecen en toda su claridad y significación, entonces vemos que no hemos hecho lo que según nuestros motivos de voluntad principales y más duraderos hubiéramos debido hacer, y en esto consiste el remordimiento. Quizás en ninguna parte aparece tan clara como aquí la divergencia entre ambas direcciones éticas. Cuando fuera de la voluntad existe un deber objetivo, el remordimiento significará precisamente que la voluntad se ha seguido a sí misma en lugar de haber seguido al deber, interprétese como quiera en el aspecto psicológico, según este punto de vista el remordimiento castiga a aquella voluntad que sólo se sigue a sí misma, castiga su falta de docilidad frente a la norma objetiva que aparece ante ella en un distinto plano ideal. El remordimiento es para este punto de vista el sentimiento que acompaña a un cambio en la dirección de la voluntad, la negación del hecho por ella realizado y la afirmación de la norma ajena a ella. Schopenhauer no puede admitir un semejante cambio de la voluntad. La voluntad es siempre lo que era; lo único que cambia es el intelecto, que forma equivocaciones de momento sobre nuestra verdadera intención, y al reconocer la verdadera tendencia de nuestra voluntad siente en forma dolorosa este apartamiento de lo que era la propia sustancia de nuestra voluntad. Ambas explicaciones se conforman por igual a los hechos. Si bien parece que explica mejor la de Schopenhauer el hecho de que el hombre malo se arrepienta de haber obrado bien y altruistamente, porque reconoce más tarde que no ha obrado conforme a su propia naturaleza, esto se comprende también con la otra explicación. Para un hombre semejante lo negativo moral, el imperativo de la inmoralidad es una norma objetiva, un deber que, unas veces cumplido, otras incumplido, se halla frente al querer, lo mismo que está la moral frente a los hombres buenos. Hay que guardarse de identificar esta categoría del deber que vale por sí mismo, en su peculiar alejamiento y cercanía a nuestra voluntad, con un contenido determinado cualquiera. Quizás este contenido sea distinto para cada hombre, aun dentro de la moralidad normal. Para el hombre que por su idea, por su propia naturaleza, está asignado al mal y a la corrupción, la forma del deber se llena con un contenido cuya falta puede llenarlo del mismo remordimiento que cuando en la concepción schopenhaueriana la falta no es la de la norma que está fuera de la voluntad, sino la de la propia e individual dirección de la voluntad.

Por lo demás, hay una serie de hechos y efectos morales que parecen encontrar su interpretación más profunda en la afirmación de Schopenhauer según la cual la instancia decisiva de nuestra moralidad y el punto al que propiamente la responsabilidad se encamina están en nuestro ser, pero no en la acción particular, que no es sino la manifestación en nosotros de aquel ser, de la voluntad metafísica. Al lado de las representaciones superficiales con que suele explicarse nuestro sentimiento de responsabilidad, me parece la explicación de Schopenhauer de enorme profundidad. Los reproches de la conciencia se refieren inmediatamente a lo que hemos *hecho*, pero en el fondo a lo que *somos*. Y realmente lo terrible en los reproches de la conciencia, el que todo lo malo y lo bajo que hayamos realizado nos parezca como algo absolutamente imperdonable, algo que acaso se pueda olvidar, pero cuyo terrible efecto nunca se extingue para nosotros, esto no depende del acto mismo, de aquel acto concreto de voluntad, de la situación en que nos encontrábamos en el momento de obrar, sino que depende de que nosotros somos el que hace aquello, de que nuestro ser es lo que corresponde a este acto, de que nuestro ser es la capacidad para realizarlo. Lo que enseña la moral vulgar: que en moral no importa el hecho sino la intención que está detrás de él, alcanza toda la profundidad y amplitud posibles desde el momento en que la voluntad no es el impulso individual desarrollado por un movimiento determinado, sino el ser fundamental del hombre que no conoce ni tiempo ni modificación. Comparado con esto, aquella explicación popular de la responsabilidad moral no parece ser más que el primer paso provisional más allá de la calificación jurídica, a la que sólo el hecho exterior le importa. Mas con aquella explicación no se ha llegado sino al moralismo, a la instancia de los diferentes actos aislados de voluntad, suficiente para las necesidades de la práctica diaria. En cambio, ahora se ha alcanzado la última estación en aquel camino que iba separándose de lo meramente exterior, más allá de lo moral en sentido estricto: la estación metafísica. El hombre entero, es decir, su ser absoluto, no susceptible de cambio, es el portador; la realidad verdadera de todo lo bueno y de todo lo malo y la responsabilidad por ello.

Tal vez sea la fidelidad el ejemplo más claro de una valoración moral que va más allá de las voliciones particulares. El ser fiel a alguien interiormente no puede alcanzarse, o, a lo sumo, puede alcanzarse parcial o indirectamente por una voluntad consciente. Al seguir desarrollándose, suelen desaparecer los supuestos bajo los cuales se había establecido la relación entre las dos personas, y una se hace infiel con la misma necesidad con que se marchitan las hojas cuando el verano sucede al otoño. Y, sin embargo, la infidelidad se siente como un defecto moral, y el mantenerse fiel como un valor moral. En este sentido se es moral cuando se es de tal calidad que aquella mutación no se produce, cuando el sentimiento permanece siendo el mismo, a pesar de que no está en nuestro poder. Este ser es nuestra voluntad más profunda y fundamental, que decide sobre aquello a lo que no alcanzan sus distintas manifestaciones conscientes, y sobre lo cual pesa la responsabilidad, aunque para aquéllas no haya ninguna.

Por último, me parece que existe aún un sentido más difícil de ver en la profunda significación del pensamiento schopenhaueriano del ser responsable. Cuando somos conscientes de nuestra inmoralidad ocurre a veces que no es nuestro sentir la causa de esta inmoralidad, sino que en ocasiones es la consecuencia del hecho correspondiente. El acto, en cuanto podemos seguirlo en su generación psicológica, se realiza con frecuencia en un estado de inconsciencia, en un momento de debilidad, por una seducción, por obra de la presión mecánica de las circunstancias, en una palabra, con una especie de semiculpa. Pero el acto realizado desmoraliza al hombre, produce después el ánimo inmoral correspondiente. Muchas veces ocurre que estamos desmoralizados porque nos sentimos culpables, en vez de sentirnos culpables porque estemos desmoralizados. Particularmente nos hacemos malos sin darnos cuenta de ello, cuando se reúnen muchas faltas pequeñas; al arrojar entonces una mirada al conjunto de nuestro pasado moral, nos sentimos mucho más caídos de lo que la conciencia del momento aquel, aislado, nos diría. Y el que podamos hacernos malos de esta manera, sin que nos penetre la voluntad de serlo, engendra en nosotros un profundo desmayo, nos parece que no podremos impedir la caída.

Lo que ocurre en las tragedias morales de esta índole no es quizás otra cosa que lo que piensa Schopenhauer: que nuestras acciones nacidas en apariencia de impulsos de voluntad distintos cada vez, en realidad sólo son el medio de que nos conozcamos a nosotros mismos. Todas aquellas acciones provienen de que seamos de tal manera; el verlas unidas con multitud de circunstancias exteriores las hace presentar muy distintos aspectos, hasta que una visión de conjunto nos revela de pronto lo que en ellas hay de común, y que depende de nosotros mismos, de nuestro propio ser, como su punto de arranque. Mientras demos una gran importancia al acaso del momento, a que las circunstancias exteriores e interiores nos sean favorables o desfavorables, nos creeremos en situación de nuevas voliciones distintas, de cambios radicales en nuestra conducta. Pero desde el momento en que reconocemos que todo este mundo de casualidades aparentes está penetrado de una unidad estable, nos vemos encadenados a una inmutabilidad de nuestro ser, y a consecuencia de ello nuestra conciencia se percata de que estamos colocados en un punto de la escala moral que nunca podremos superar. De las acciones aisladas en las cuales no se distingue el efecto del impulso de voluntad y el de las influencias exteriores, no nos sentimos más que hasta cierto punto responsables; pero a este ser decisivo no podemos rechazarlo, tenemos que responder de lo que somos y no de sus manifestaciones particulares.

Se comprenderá ahora claramente cómo se compagina esta "libertad" con la determinación de nuestras acciones aisladas, que Schopenhauer había aceptado sobre la base del supuesto kantiano. Cada una de nuestras acciones que se dan en el reino de los fenómenos y que se manifiestan en sus formas del espacio, del tiempo y de la causalidad, está determinada con arreglo a leyes naturales, exactamente lo mismo que puede estarlo la forma de una onda o de una llama. Pero el que exista en absoluto un ser fundamental, que se manifiesta y, por así decirlo, se individualiza en aquellas formas de representación, es algo dado de un modo absoluto que no puede explicarse por las conexiones del reino de la empiria y de la causalidad. El ser en este sentido es "libre", porque no tiene nada fuera de sí por lo cual pudiera ser determinado, y porque está colocado más allá de aquellas relaciones causales que rigen sus manifestaciones concretas; no es el fenómeno para el cual estas leyes y relaciones rigen, es el fundamento o supuesto del fenómeno. Una vez que el ser se ha dado en una de sus manifestaciones, quedan necesariamente determinadas todas las demás —pero no era necesario que el ser existiese; el que no existiese no contradiría ninguna ley, ninguna necesidad del pensamiento—. Y esto puede aplicarse también al ser de nosotros mismos. La voluntad fundamental que es nuestro ser no necesitaba ser, no necesitaba, según su cualidad originaria, ser como es, porque existe antes de toda determinación causal; un *antes*, naturalmente, que no es el antes en el tiempo, sino el de la interior significación y el del sentido metafísico. Sería una falta de la filosofía moral, dice Schopenhauer, considerar a nuestro ser como lo irremediablemente dado, como lo existente de antemano, y luego considerar las acciones particulares en el sentido de que seamos responsables por cada una de ellas como si hubiera podido ser de otro modo. Al contrario, esto es lo que está irremediablemente determinado, y en cambio el ser no necesitaba ser, ni necesitaba ser así —lo cual se expresa en el hecho de que es voluntad—. Esta relación, que en sí es un misterio, sólo podemos expresarla mediante palabras aproximadas, diciendo que manifestamos nuestro ser por un acto fuera del tiempo, que *somos* este acto de voluntad metafísico y que nuestro ser tiene que desarrollarse conforme a él y sin libertad de elección. La libertad, y con ella la responsabilidad, ha pasado del hacer al ser, porque sólo éste corresponde, o mejor dicho, coincide con la voluntad que se crea a sí misma. Ésta es la motivación de aquella profunda nota de Schopenhauer según la cual el dolor que se produce en la conciencia después de una mala acción, no se refiere al acto en su determinación individual, sino a la cualidad general de nuestro ser que conocemos por medio de aquella acción. El que seamos tales que podamos producir un acto semejante en virtud de nuestra cualidad originaria, éste es el gran tormento, tanto más terrible cuanto que sentimos esa cualidad, de una parte como libre, como nuestro querer originario, y de otra como absolutamente inmutable e irremediable. La acción aislada podríamos mejorarla por un cambio de nuestra conducta, podríamos repararla, y el remordimiento imborrable sobre ella no sería comprensible. Pero nuestro ser es algo firme, está fuera del tiempo; a él se refiere la responsabilidad; en él sentimos el mal que se nos revela en nosotros, que sale de lo más íntimo de nuestro ser, que no puede ser remediado por ningún remordimiento ni modificado por ninguna volición, y que, sin embargo, es la raíz de todo remordimiento y de toda volición.

Schopenhauer pone al descubierto aquí tal vez la más trágica de las situaciones éticas. La plena responsabilidad por un ser principal que no puede rectificarse, y cuya "libertad", al mismo tiempo que fundamentaba su responsabilidad, establecía su carácter irremediable. Toda modificación aparente de nuestra cualidad moral es para Schopenhauer, o una mera modificación de las circunstancias exteriores que hacen que aquel ser permanente, o dicho en una forma más popular, innato, tome distintas manifestaciones, o en la modificación del conocimiento que va poco a poco y con vacilaciones descubriendo nuestra verdadera esencia. Pero en este punto culminante de su explicación ética se aparece de nuevo toda su profunda repugnancia contra cualquier pensamiento evolutivo. La absoluta estabilidad de nuestro carácter tal como es en sí, sobre cuya atemporalidad, y por tanto inmutabilidad, se dan todas las variaciones de nuestra apariencia fenomenal, refleja de manera inmediata la peculiar inmovilidad de la naturaleza –desde la terminación de su obra capital, a los treinta años, no puede verse ninguna evolución propiamente dicha de su espíritu– que altera la concepción originaria de su pensamiento al tratar las materias más distintas. En realidad creo que la unión entre libertad y necesidad, tomada de Kant –aquélla nos corresponde como cosa en sí, ésta como fenómeno sujeto al tiempo y a la causalidad–, no nos arroja de la inmutabilidad absoluta de una voluntad expresada de una vez para siempre en actos colocados fuera del tiempo. Schopenhauer declara imposible que un hombre obre ahora así y luego de otra manera, porque las condiciones exteriores obran con arreglo a leyes naturales inmutables, y la modificación tendría que salir de la voluntad metafísica, la cual no puede cambiarse, porque no está sujeta al tiempo. Pero cabría preguntar: ¿Por qué no ha de ser posible que este ser último esté sujeto a un cambio en su dirección? ¿Por que no ha de llevar dentro de sí un ser de otra manera que en su manifestación temporal se aparecería como una transformación, como un cambio, como un sí o un no? Schopenhauer identifica con perfecta identidad el principio de que el carácter es innato con el principio de que el carácter es invariable. Sin duda que esta modificación no puede verificarse en el tiempo, pues el tiempo no es más que una forma de concepción que ordena los fenómenos, pero que para nada se refiere a la cosa en sí. Pero podría pensarse muy bien que este ser en sí, este ser fundamental que determina según su naturaleza el fenómeno (pues otro carácter metafísico produciría también un fenómeno empírico distinto), posee una cualidad que a nosotros se nos *revela* como una modificación plena de nuestro ser producida en el tiempo. Sin duda que no podríamos describir la estructura de una cualidad semejante, pero también la unidad y la inmutabilidad son meras expresiones simbólicas para el secreto y lo inefable de lo absoluto que está en el fondo del juego de nuestra naturaleza empírica, de modo que el enigma que trajese consigo aquella modificación y evolución trascendente de nuestro ser no sería mayor que el que en estos conceptos se encierra.

No se trata con eso de una posibilidad conceptual especulativa, sino de la oposición entre sentimientos definitivos y explicaciones últimas de la vida interior. Schopenhauer comparte el prejuicio muy extendido de que lo trascendente que sólo se funda en sí mismo tiene que ser en sí mismo simple e inmutable, como si ésta fuese la única constitución de la existencia fundamental primaria, mientras que toda evolución necesitaría, por decirlo así, un empuje, una motivación y destino que fuera más allá de lo evidente sin más. Pero este dogma quizás no haya nacido más que de la observación superficial de la práctica humana; el hombre, en efecto, parece que sólo cambia y se desarrolla por impulsos de afuera, por motivos que están más allá de su actual situación. Pero si nos elevamos por encima de esta costumbre mental, encontraremos que, frente a lo inimitable y ajeno al tiempo, está con el mismo derecho la otra interpretación de nuestro ser: la de evolución, que el llegar a ser de otro modo sea el último sentido interior de este ser, la forma de su sustancia metafísica, sin temer que por eso se degrade lo que en nosotros es libre, en una sujeción al tiempo. Pues de esto nos libra una analogía: cuando de dos premisas sale una conclusión, se verifica una evolución, un pasar de la una a la otra que no es, sin embargo, temporal. El que la conclusión exista mientras subsisten las premisas es una verdad colocada fuera del tiempo. Si realizamos psicológicamente un proceso semejante, van sin duda las premisas delante y la conclusión detrás. Pero lo que pensamos con este proceso temporal, la verdad de que en él nos hacemos consciente, está más allá de esa sucesión, es una evolución de un contenido según su sentido puro, la unidad de un pensamiento, una verdad que consiste precisamente en que sus elementos estén ordenados de esta manera. Pues bien: de un modo análogo –frente a este problema no pueden emplearse más que expresiones simbólicas–, podría pensarse que lo más hondo en nosotros, en vez de ser permanente de un modo inmutable, tuviese su esencia en la evolución, en el cambio y la modificación en sí mismas. Y como lo último que en nosotros existe es libre –porque no tiene nada tras sí por lo que pudiera ser determinado–, la libertad no significaría entonces, como para Schopenhauer, la decisión irremediable fundada en la cualidad de la voluntad, sino que viviría en las modificaciones, en el elevarse y descender de la vida interna. Sin duda en estas oposiciones metafísicas vuelve a aparecer el sentimiento pesimista frente al de la posibilidad de la salvación en el progreso y en lo inesperado que dirige al fondo más íntimo de nuestro ser en el sentido opuesto a la dirección de su pasado; siendo ésta una explicación tan natural y necesaria como la otra. En cambio, la explicación schopenhaueriana del problema moral fundamental supone que la conducta de los hombres es invariable, variable sólo en cuanto a las circunstancias y opiniones, pero encadenada a un ser inmutable, el que, sin embargo, es en sí libre, con independencia de la conducta en que se manifiesta; y esta libertad, que no significa más que la liberación de la influencia de la causalidad que rige el mundo de los fenómenos, recibe una significación positiva por el hecho de que aquel ser es voluntad. Los distintos contenidos de la voluntad engendran el encadenamiento de los fenómenos; pero el que en el conjunto de la vida queramos como queremos, ésta es la cualidad mística de la libertad. Y como la vida es siempre voluntad y no otra cosa, por eso es este conjunto de la vida, en su sentido más profundo, un problema moral.

Mas con esto se entiende el problema moral en un sentido más amplio del que hasta aquí se le ha dado. La obra de la voluntad por medio de la cual se redimía de la fatalidad de su ser dado con el hecho del mundo, estaba hasta aquí entre el yo y el tú. Aniquilaba –aun cuando sólo en una medida relativa, única posible– la contradicción a la que la voluntad se condena a sí misma por su escisión en manifestaciones individuales. Pero éste es un procedimiento sintomático, aun cuando sólo sea porque, como quedó indicado más arriba, nunca podremos superar de hecho las formas de la concreción con que nuestra conciencia trabaja. Así pues, por este camino no podía alcanzarse la salvación completa. Por él podía a lo sumo repararse una de las más terribles contradicciones en que se coloca la voluntad al expresarse en el mundo de las manifestaciones concretas; pero la raíz de la cual nacen estas contradicciones y por la cual constantemente crecen queda viva. Por eso Schopenhauer dice que no valora las virtudes morales "como el último fin, sino como un escalón hacia él". Como último fin no queda otra cosa sino el *aniquilamiento* de la voluntad. Para Kant podía la moral constituir el estadio supremo, porque reconocía una norma suprema colocada por encima de la voluntad, que le presta un valor absoluto. Pero para Schopenhauer, que no cree en la existencia de norma alguna y para quien todo es voluntad, la virtud moral no puede contener un valor definitivo, a pesar de que es siempre un acto positivo de voluntad, y justamente por eso. Si toda la realidad es voluntad y toda voluntad significa culpa y sufrimiento, si se rechaza la existencia de normas supremas, no queda más que un camino de salvación, procediendo con plena consecuencia lógica, y éste es la supresión de la voluntad. Si se prosigue el camino emprendido por el altruismo moral, la supresión de las barreras que separan al yo del tú, al final se encontrará la unidad del yo con la existencia entera, el sentimiento de que en verdad no somos individuos sino la voluntad del mundo entero e indivisible y que, por tanto, todo el dolor del mundo, todas las contradicciones y contrasentidos están reunidos en este yo-voluntad. Naturalmente, no es necesario que esto se exprese en conceptos conscientes, sino que es una situación del ser que la conciencia reflexiva no hace sino expresar en estos conceptos. Podría decirse: El alma de la que se trata se comporta de tal modo, tiene las mismas cualidades que si estuviera determinada por este conocimiento. Pero esta determinación no puede tener más resultado que el que en el alma se produzca un pleno desvío de la voluntad. ¿Pues para qué habría de atenerse a ella si no le proporciona más que el tormento, la terrible falta de objetivo y la desilusión de la existencia? El poder instintivo que la voluntad tiene en nosotros está roto desde el momento en que sabemos, no con el entendimiento, sino con todo nuestro ser, que no puede ser satisfecha, que su sentido es la falta de sentido. La voluntad de quien ha comprendido esto no puede ya ser conmovida por nada. Los fenómenos del mundo no son ya fenómenos para él, se hacen tranquilizadores, la voluntad muere en sí misma, suprime en un proceso que no puede realizar sin duda una vida empírica, el fenómeno de su existencia, al suprimir su fundamento.

El sentido de esto se aclara considerando que Schopenhauer presenta al suicidio como lo más opuesto a esta salvación, a esta autosupresión de la voluntad. El suicida no niega la voluntad de vivir, quiere la vida, sólo que no la quiere en las circunstancias en que se le ofrece. El que ha renunciado de veras a la voluntad soporta todos los sufrimientos, porque en sí mismo ya no hay nada que se levante frente a ellos, porque ellos son el camino deseado para liberarse cada vez más profunda y convencidamente en lo íntimo de su ser de la voluntad, y lo que le horrorizan son los goces y las esperanzas, porque traen consigo el peligro de que se renueve la unión con la vida. Por el contrario, el suicida quisiera con gusto vivir si tuviese más que gozar y menos que sufrir; precisamente porque no puede cesar de querer, cesa de vivir. De aquí que el suicida no adquiera redención ninguna. Pues la voluntad metafísica que en él alienta no ha muerto, sino que adquiere una violencia extrema; tanta, que por sentirse impedida por el sufrimiento, destruye su propia manifestación, del mismo modo que, dirigida hacia afuera, destroza la manifestación de otro. La voluntad tiene que aniquilarse a sí misma, y no a su manifestación individual; si no —así expresa

Schopenhauer este acontecimiento místico– sigue existiendo sin trabas la cosa en sí, y con ella todo el dolor de la existencia, que era precisamente de lo que el suicida quería huir. Sin duda, esta construcción no conseguirá hallar una prueba. Se admitirá sin ella que quien desprecia verdaderamente la vida no tiene razón alguna para quitársela, y quien lo hace, no lo hace por odio a la vida, sino por amor desgraciado a ella. Pero, al mismo tiempo, Schopenhauer tiene que conceder que quien destruye su vida empírica individual destruye también la posibilidad de sentir el dolor. Pues sólo allí donde la voluntad posee el órgano de un cerebro sensitivo se manifiesta su ser en la forma de tormento. Claro es que la supresión de la voluntad en general acaba con la posibilidad del dolor; pero no necesita de esto cuando la destrucción de la manifestación concreta corta, sin dejar residuo, su realidad. Más que en otras cuestiones de valores prácticos, insiste aquí Schopenhauer en que los argumentos de la moral burguesa y teológica contra el suicida son insuficientes, porque sólo se lo puede condenar en vista de que no consigue metafísicamente su fin. Aun cuando salte a la vista la parcialidad de su argumentación, en donde está omitido el hecho de que la cura que hace el suicidio del dolor de la vida, por ser radical, produce los mismos efectos que la muerte interior de la voluntad; pese a todo, al distinguir el suicidio de la verdadera negación de la voluntad y degradarlo frente a ella, formula un profundo sentimiento de valoración. El que, como el asceta, ha superado la vida porque ni en conjunto ni en detalle quiere saber más de ella, no necesita aniquilarla violentamente, por lo mismo que para él es ya la nada. Pero esto sólo puede aplicarse cuando se trata de la última significación de la vida; otra cosa ocurre con la vida considerada como una serie de hechos empíricos, sujeta también a la muerte. En esta esfera puede justificar el suicidio un padecimiento físico incurable o la pérdida de todas las posibilidades de llenar la existencia con una actividad adecuada; aquí la cuestión es una cuestión de cálculo entre determinados valores de la vida, lo mismo que cuando se trata de la amputación de un miembro. Así, por paradójico que esto pueda parecer, el suicidio puede resultar justificado en los casos no muy importantes; mientras que para el acabamiento profundo y total de la vida no es adecuado, aquí es aplicable la creencia de Schopenhauer –que, como ocurre tantas veces, con tanta profundidad afirma y tan mal demuestra–, de que el aniquilamiento exterior de la vida sería una expresión inadecuada y hasta por completo opuesta a la liberación interior de la vida.

Si Schopenhauer no se arredra ante los vacíos y violencias de la demostración es porque su obstinación en no ver en la vida más que una balanza entre valores de placer y de sufrimiento, tan fatal para él, pero unida inseparablemente a su sistema de pensamiento, lo obligaba a demostrar algo mucho más superficial de lo que él mismo pensaba. Su explicación, de la salvación de la voluntad por renuncia a todo querer y desvío de él, depende de que la participación absoluta, supraindividual, en los dolores de la realidad, provoca en el sujeto un horror de este mundo, un desvío hacia toda existencia, o lo que es lo mismo, hacia la realidad que procura al dolor la realidad y a la realidad el dolor. Ahora que, para poder condenar el suicidio con esta fundamentación de la negación de la voluntad, tenía que prescindir del hecho de que el suicidio suprime el único instrumento en que el dolor como tal se produce: el organismo individual, sin que una vez suprimido haya posibilidad de volver al anterior estado ni quede, por tanto, posibilidad de dolor. Pero en realidad, de la misma manera que el goce estético y el valor moral tienen en el verdadero pensamiento e instinto de Schopenhauer un arraigo mucho más hondo y verdadero de lo que él podía expresar mediante su valoración dogmática, según placer y dolor, también aquí piensa algo más profundo de lo que parece expresado con arreglo a aquella fórmula dogmática. El desvío de la vida, la renuncia ascética a todo deseo, en que ve Schopenhauer la perfección y santidad supremas del alma, es algo muy amplio y muy fundamental para que pueda ser motivado sólo por el dolor, aun cuando fuese el dolor de la unidad metafísica del mundo reflejado en el alma individual. En la vida de los santos ascetas de todas las religiones en que Schopenhauer ve la realización de su ideal, pocas veces aparece un motivo semejante de negación de la voluntad. Y aun cuando Schopenhauer nota, con gran agudeza y con extraordinaria razón, que no deben tomarse por los motivos verdaderos y decisivos los motivos supersticiosos, infantiles y fantásticos que los ascetas mismos se figuran no atendiendo más que a lo que pasa en la superficie de su conciencia, sin embargo, conviene no abusar de esta discrepancia entre el ser de estas almas y la representación que ellas puedan hacerse de los motivos de este ser para introducir una interpretación arbitraria de estos motivos; la fecunda idea de Schopenhauer, de que los verdaderos motivos de los hombres no se corresponden necesariamente con la conciencia que de ellos se tiene, ha conducido a incontables arbitrariedades psicológicas, para las cuales él mismo ha ofrecido aquí el modelo. No tenemos derecho alguno a aplicarles a los santos ascéticos aquella especial fundamentación eudemonista de sus desvíos por la vida. En ellos se realiza algo más general, un fenómeno elemental que la metafísica de la voluntad puede expresar de un modo incomparable si se libera de su unión con el pesimismo. De la misma manera que carece de motivos el aumento de la voluntad de vivir, carece de ellos su disminución; de la misma manera que no puede motivarse el que en general se dirija a fines –puesto que lo que necesita motivación es el paso de unos fines concretos a otros–, tampoco puede señalarse determinadamente la razón por la cual la voluntad se dirige contra sí misma. Para el contemplador que está más allá del pesimismo y del optimismo, ambas direcciones constituyen un espectáculo por igual maravilloso; así el encanto de una fuente no sólo está en los hilos de agua ascendentes y en su fuerza triunfante de mil obstáculos invisibles, sino también en los hilos descendentes que desarrollan al bajar la misma energía. Ese apagamiento de la voluntad en la resignación ascética nada tiene que ver con flaqueza de voluntad; los débiles de voluntad no carecen de objetivos; al contrario, suelen desear muchos y aun desearlos con desesperada violencia; lo que les falta es la concentración en un fin determinado: su voluntad se disemina sin encontrar la forma de la eficacia. En cambio, en la voluntad del asceta se da la suma suprema de concentración y energía eficaz, porque no se dirige a objetos exteriores colocados en la periferia del yo, sino que se toma a sí misma como objeto: ya no vence al mundo, sino que se vence a sí misma. Por eso suelen ser los hombres de vida más apasionada y más poderosa los que buscan la santidad. La fuerza de la voluntad, que de otro modo, al tener que salir de sí misma, se emplea intranquila, posesionándose ya de esto, ya de aquello, ahora está cerrada en sí misma, y la voluntad ya no muere en las cosas a las que no ha podido domeñar, sino en ella misma. El valor de la santa pureza y perfección de la vida que esta vuelta en sí mismo determina es incalculable, y Schopenhauer, que conoce mejor que nadie la hondura de este valor, empequeñece su pensamiento al querer deducirlo del dolor y de su supresión. Pues se trata aquí de una concepción absolutamente metafísica de la vida, cuyo valor se mide, no por sus resultados, sino en sí misma, y que sólo puede compararse a la otra concepción opuesta: el apoderamiento del mundo por la voluntad de vivir, que se afirma con energía.

La metafísica de la voluntad expresa con una admirable amplitud y profundidad el significado interno de la renuncia del mundo, al hacer que el mundo de los fenómenos salga de la voluntad. Pues con esto se explica, desde los últimos fundamentos metafísicos, cómo para el santo desaparece el mundo, cómo se transforma en un sueño sin sustancia ni realidad. Lo que suele expresarse como mero símbolo: que el mundo no exista para el santo, para el penitente, adquiere así una verdad inmediata. Al superar su voluntad ha superado también el mundo, que no es otra cosa que el producto y reflejo de esta voluntad, el lugar creado por ella para albergar sus representaciones cuando deseaba extenderse hacia afuera. La voluntad que se afirma a sí misma tiene el mundo; la que se niega deja de poseerlo, porque ya no lo necesita y porque su deseo era quien lo habría creado. La vida se ha perfeccionado a sí misma por encima de lo meramente moral y por encima de todas las cuestiones de dolor y placer, sin dejar tras de sí restos del mundo; la voluntad, al liberarse de sí misma ha precipitado en la nada todo lo que estaba fuera de ella, puesto que ahora deja de ser creado, penetrado, conservado por ella.

Schopenhauer configuró para siempre el estado del santo, en el que la voluntad se ha aniquilado a sí misma y al mundo, en palabras como sólo podría hallarlas el irredento después de la redención:

"Contempla tranquilo y sonriente las imágenes engañosas de este mundo, que un tiempo tenían fuerza para mover y apesadumbrar su ánimo; pero que ahora están ante sus ojos tan indiferentes como figuras de ajedrez extendidas por el tablero después de terminada la partida, o como a la mañana los disfraces de carnaval que a la noche nos excitaban e inquietaban. La vida y sus imágenes flotan ante él como una aparición pasajera, como siluetas de un dulce ensueño de madrugada a través del que ya penetra la realidad y no puede engañar."

VII. Los valores humanos y la decadencia

Si Schopenhauer no conoce más que un valor: el no vivir, Nietzsche tampoco conoce más que uno: el vivir. Mientras que para aquél todos los valores que suelen reconocerse como substantivos, belleza y santidad, profundizamiento metafísico y moral, no son sino medios encaminados al fin último de la negación de la vida, para Nietzsche éstos y todos los demás bienes y perfecciones no son sino medios para la afirmación e intensificación de la vida. Con el valor definitivo de la negación de la vida, ha encontrado Schopenhauer el medio de dar a los movimientos de la vida una unidad ideal que, sin embargo, no es un fin último –pues el fin de la vida no puede ser un no vivir; este sentido es un sentido que viene de afuera, que es completamente extraño al sentido teológico–, y el medio de suprimir con el fin absoluto los relativos, tal como aparecen en la idea de la evolución. De este modo se invierte el sentido de la vida, y sólo recibe sentido en la dirección que la lleva al aniquilamiento, con lo que se explica bien la aversión de Schopenhauer por la "historia". Verdad es que él trata de justificarla de otro modo. Todas las ciencias, y en particular la filosofía, sólo tienen que ver, según él, con lo general y no sujeto al tiempo; y la historia no es un asunto digno del espíritu, porque sólo se ocupa de lo que no ha ocurrido más que una vez, de lo individual y casual. Pero esto no es sino la construcción lógica de aquella aversión contra la Historia que arranca de más hondo. Allí donde la sucesión de los hechos excluye en principio todo desarrollo de valor, los hechos no pueden concatenarse en lo que llamamos Historia. Pues, por lejos que se esté de aquellas especulaciones que quieren ver en la historia de la humanidad la realización de un fin último y de un valor general soberano, siempre resultará que los diversos estadios de la historia se encuentran enlazados de manera que los objetivos y valores que en uno aparecen en estado rudimentario, como una cosa que se quiere conseguir, en el otro llegan a alcanzar realidad para su sentido pleno. La Historia en conjunto acaso no muestre sentido ni progreso, ni verdadera "evolución"; pero si estas categorías no uniesen a los momentos particulares que se van sucediendo unos a otros, no habría Historia alguna, sino sólo un acontecer. El que el pensamiento de Nietzsche esté todo él lleno de representaciones históricas indica desde el comienzo su contraste con el de Schopenhauer; los conceptos de valor, cuya ascensión y decadencia constituye el sentido del proceso del mundo en cuanto se refiere al hombre, son de naturaleza específicamente histórica; el ansia de redención que en Schopenhauer se expresa en un *no* frente a la vida, se satisface para Nietzsche en el desarrollo histórico infinito de nuestra especie. La distinción schopenhaueriana entre el acontecer casual histórico y la idea general con un valor fuera del tiempo, desaparece en Nietzsche, porque para él los valores formados en el despliegue de nuestra especie, los puntos más elevados y de concentración de la vida histórica viven en la región de lo absolutamente válido, de lo que en absoluto debe ser. Él piensa, aun cuando no con abstracción lógica, sino, digámoslo así, en aplicaciones concretas, que todas las cualidades humanas en que la vida se afirma, energía de voluntad y distinción, fuerza de pensamiento y dulzura, grandeza de ánimo y belleza, adquieren su valor en cuanto que contribuyen a impulsar a la humanidad en su marcha, pero de ninguna manera pueden ser consideradas como meros medios. Realizan, sí, aquel fin general, pero al propio tiempo poseen en sí mismas una significación sustantiva; son valores absolutos, que no toman su cualidad de tales valores del fin al que sirven de medios. Pues también aquella cosa más elevada a la que preparan el terreno: la humanidad elevada un grado más, no consiste en otra cosa que en que esas cualidades aparezcan de una manera más alta y más intensa. Aun cuando la vida sea un hecho originario, que sólo de una manera unitaria puede ser "vivida", por otra parte, si se la mira como manifestación histórica, no es más que el nombre abstracto, la unidad en que se condensan aquellas energías y cualidades valiosas. El que éstas existan es lo que constituye precisamente la vida; ellas son al mismo tiempo los portadores de la energía vital creciente, y todo aquello que llamamos pequeño y cobarde, estúpido y feo, es al mismo tiempo un menos de la vida y una disminución de su porvenir. Y como para la plenitud de la vida no hay límite alguno, esas cualidades son al propio tiempo, en cada momento, estación de término, y al mismo tiempo, estación de tránsito de la realización de nuestros valores. Formulada así, la teoría de Nietzsche es la más pura expresión del pensamiento de la superación, que encaja en sí misma el valor absoluto, en vez de dejarlo al final, esto es, fuera del proceso mismo. Los estadios particulares del proceso vital histórico en que éste se eleva y se condensa pueden, a pesar de su relatividad, de su carácter de grados de una evolución, ser de un valor absoluto, que no necesita legitimarse en otras formas; frente al hombre futuro, frente al superhombre, pueden poseer este valor como ser, como cualidad, porque todo el futuro que se construye sobre ellas y de ellas no es más que un aumento de ellas mismas, no una transformación repentina de la existencia, como enseñaban Kant y la mística, Schopenhauer y el cristianismo. Y así se desarrolla al infinito el proceso histórico; así lo absoluto del ser se da en sus grados relativos, pudiendo residir en sus manifestaciones pasajeras y transitorias. Porque la vida se da en la forma de lo histórico, esto es, de lo finito, puede ser el valor absoluto, sin necesidad de que el proceso del mundo posea un fin último ni siquiera en la idea.

Esta representación principal o sentimiento del valor de nuestra existencia que había en Nietzsche, idealmente proyectada, se manifestó luego merced a la situación cultural que encontró ante sí en una determinada dirección que domina todo su pensamiento. O quizás más exactamente, por dominarlo el sentimiento que se expresa en aquella teoría del valor, por eso entendía de esa manera el mundo histórico con que se encontró. A lo largo de la historia –éste es su motivo dominante–, y particularmente desde el cristianismo, la mayoría, que naturalmente se compone de los débiles, los mediocres, los insignificantes, ha alcanzado el dominio externo e interno sobre la minoría de los fuertes, de los distinguidos, de los originales. En parte como consecuencia y expresión de eso, en parte como causa de ello, se desplazaron todos los valores morales originales. Como muestra la historia del lenguaje, originariamente se tenía por "bueno" el vencer, el dominar, el desarrollar con éxito sus fuerzas y perfecciones, aunque fuese a costa de otros; el malo era el vencido, el débil, el vulgar. Estos valores han sido alterados por las tendencias democrático-altruistas, que donde se expresan con más claridad es en el cristianismo. Desde entonces el bueno era el no egoísta, el que renunciaba a imponerse, el que quería vivir para otros, para los débiles, los pobres, los caídos; y éstos, los que sufren, los que carecen, los que no logran imponerse, eran los "buenos", los bienaventurados a quienes quedaba reservado el reino del Señor. La consecuencia de ello es que hasta los fuertes, los destinados por la naturaleza a mandar, los independientes externa e internamente, no osan desarrollar en forma natural sus cualidades sino sólo con remordimientos de conciencia, de los que sólo se salvan presentándose como ejecutores de mandatos superiores de las autoridades, del derecho, de la Constitución o de Dios; así, los que dominan fingen las virtudes de los que sirven. Este desplazamiento hacia abajo de los intereses morales, esta transformación de la dignidad moral, según la cual ya no corresponde ésta a la elevación de la vida, a su plenitud, belleza y originalidad, sino al renunciamiento en favor de los débiles, a la cesión de los más altos en favor de los más bajos, tiene que producir sin remedio una humillación del tipo general humano conduciéndolo a la mediocridad. El animal de rebaño "hombre" se ha convertido en el vencedor de los más altos ejemplares, convirtiéndose a sí mismo, es decir, a la mayoría, a los sometidos y retrasados, en contenido del deber de los mejores. Mientras el sano instinto de vida busca el crecimiento de las fuerzas y alimenta la voluntad de poder, mientras la especie sólo puede desarrollarse obedeciendo a estos impulsos, el desplazamiento hacia abajo ha enervado los instintos y fuerzas que empujaban hacia arriba a la especie. Los conceptos de valor cristianos democrático-altruistas quieren hacer del fuerte el servidor del débil, del sano el servidor del enfermo, del alto el servidor del bajo, y en la medida en que esto se logre, los poderosos descenderán al nivel de la masa, y toda la aparente moralidad del bien, de la humillación, de la renuncia, provoca una decadencia cada vez mayor del tipo humano y de aquellos de sus valores que lo impulsan hacia arriba.

El punto central de esta cadena de pensamientos es éste: El cristianismo significa la consagración religiosa de la vida decadente. Hay una frase de San Francisco –Nietzsche no la ha conocido sin duda– que parece confirmar sin reservas la santificación que hace el cristianismo de lo que no tiene valor, su negación de todo valor. "¿Quieres saber por qué me siguen los hombres? Porque así lo han querido los ojos de los más altos. Como entre los pecadores no han encontrado ninguno más pequeño, más incapaz, más pecador que yo, me han elegido para perfeccionar la obra maravillosa emprendida por Dios; Él me ha escogido a mí, porque no podía hallar otro más indigno; porque quería burlarse de la nobleza, grandeza, fuerza, hermosura y sabiduría del mundo." Pero en la interpretación nietzscheana del cristianismo hay un enorme malentendido que proviene de que la suya no era una naturaleza trascendente, sino que lo que le interesaba era la vida, la historia y la moral. Por eso le quedó oculto el que una gran parte de su valoración y de la cristiana caen bajo el mismo concepto superior, cuando para la comparación se toman las relaciones y creencias trascendentes del cristianismo; y no se limita a ver, como Nietzsche, meramente su tabla de valores aplicada a lo terrenal. Ante todo, a lo que ambos dan mayor importancia es a las *cualidades de ser* del individuo, que hallan para Nietzsche su culminación o expresión en el concepto de la vida, y en el cristianismo la hallan como elementos de un orden divino más elevado, dentro del cual poseen, como se ha visto antes en el concepto de la vida de Nietzsche, la doble cualidad de valores finales y de miembros de un conjunto superior a ellos. Al explicar Nietzsche el sentimiento de valor del cristianismo olvida esta exaltación del propio valor del alma. A Jesús no le importa lo que se da, sino el que da; no aquel por quien se vive, sino quien vive. Cuando se aconseja al muchacho rico que dé sus bienes a los pobres, esto, más bien que un consejo para dar limosna, significa un medio y un signo de perfección y liberación del alma. Se trata aquí de diferencias muy finas que en la manifestación externa no se ven, pero que deciden sobre el valor interior de la vida. El que la conducta del alma sea importante, en cuanto es un hacer dirigido al objeto; el que saque su derecho y su valor de la acción sobre éste, o el que su propia cualidad, que se limita a expresarse en el hacer, o que no necesita del hacer más que como medio, lleve en sí misma todo derecho y todo valor, tal es la gran alternativa. Y aquella primera actividad no está pensada tan sólo en el sentido del éxito exterior; puede ser entendida como mera "buena voluntad", como el impulso del alma; lo decisivo para este aspecto de la alternativa es que la acción en el objeto, en el bien del prójimo, en la producción de un valor, es el sentido de su existencia moral, lo que constituye su valor, aun cuando este hacer no se vea más que como un mero proceso del alma. Así es la valoración que hace Kant de la democracia, de la ética social. En cambio, el cristianismo y Nietzsche, invirtiendo principalmente los valores, ponen todo el valor del alma en sus cualidades puramente internas, en su ser así, que no se refiere a otra cosa exterior.

Sin duda que este *ser así* se manifiesta de hecho en el hacer exteriormente, tiene que hacerlo y debe hacerlo; pero el valor de la conducta no está en esta dirección centrífuga, aun cuando en ella se pueda ver también un puro valor moral, sino en la centrípeta, puesto que la conducta no es más que una revelación de aquella cualidad del alma. Pero, por más que en Nietzsche y en el cristianismo esta cualidad pueda ser diferente en su contenido y en sus manifestaciones, la forma de la valoración, la fijación del punto de valor definitivo es la misma en ambos. Esta valoración está expresada dentro del cristianismo por el calvinismo de un modo curiosamente paradójico. Todas las almas están destinadas de antemano por decisión divina a la bienaventuranza o a la condenación, sin que su conducta terrenal pueda ejercer el más mínimo influjo en este destino. Pero nadie conoce su predestinación, ni existe el menor signo por el que pudiese ser adivinada. El destinado a la bienaventuranza obra en la tierra moralmente; el hacer del condenado es inmoral y carece de valor. Estas distintas conductas nada influyen para adquirir con ellas la suerte futura, la cual está tan fija como las mismas cualidades del alma. Por tanto, si el hombre obra bien y con virtud, no es porque esto tenga en sí valor, sino tan sólo porque al hacerlo así posee ya un medio de reconocer su destino religioso. Por extrañamente que aparezca invertida aquí la relación entre el hacer moral y su valor, deja ver claramente que al cristiano no le importa la renuncia, la humildad, la devoción como tales, sino tan sólo la cualidad de la persona que en sí misma descansa. Nietzsche no ha visto esto, porque no ha sabido pasar por encima de aquellas diferencias de contenido hasta encontrar el último sentido de la valoración cristiana. Por lejos que el altruismo cristiano pueda estar del ideal de fuerza y superación de Nietzsche, comparte con él la oposición contra todos los ideales morales y sociales en sentido estricto. El valor definitivo no está en la acción altruista como tal, sino en la santificación del alma que forma su aspecto interior. Al colocar Nietzsche el valor de la vida en la cima de lo alcanzable, y la determinación de su cualidad fuera de toda relación exterior, entra en la categoría del peligro; cuanto más elevada sea la altura en la cual sólo tiene valor la existencia, tanto mayor será el peligro de resbalar antes de llegar a la cima, del vértigo una vez alcanzada. Esta forma de peligro que debe tener el valor de la vida se convierte en el síntoma de la carencia de valor de todos los ideales democráticos. Porque la masa quiere vivir bien, quiere seguridad y comodidad. Pero nadie se hace fuerte si no necesita serlo. El hombre elevado ansía la lucha; sólo los débiles quieren, por razones fáciles de comprender, "paz en la tierra". Esto será aplicable a la gran masa filistea, pero no lo es al cristianismo. Pues éste, con su enorme decisión por la eternidad, está más que otra religión alguna bajo el imperio del peligro. En las religiones clásicas no se encuentra analogía alguna con ello; y ni siquiera en las religiones indias con sus reencarnaciones, puesto que en ellas los resultados de un período de la existencia podían repararse en el siguiente. Nietzsche no veía esto, porque sólo veía el cristianismo en su aspecto terrenal. Aquí sí predicaba paz el cristianismo, pero no por miedo al peligro, como creía Nietzsche, y como una especie de seguro del pueblo, sino porque lo terrenal le era indiferente, y debía adquirir la forma en que menos pudiese estorbar en la lucha de incalculable peligro por el porvenir eterno. Sólo en virtud de esta razón negativa buscaba paz y seguridad; y así, las incitaciones al comunismo que en él se encuentran no nacen, como el comunismo, del interés por la posesión terrenal, sino al contrario, de la indiferencia frente a ella. Aquí es donde se ve quizás con mayor claridad cómo la incapacidad de comprender la trascendencia del cristianismo que tenía Nietzsche consiguió hacerle no reparar en las semejanzas entre su doctrina y la cristiana.

Hay en Nietzsche, sin embargo, un motivo puramente trascendente, según el cual la elevación de la propia personalidad, que de ordinario se verifica en la relatividad del proceso histórico, pasa a descansar en lo absoluto. No puede haber Dios, dice, pues si lo hubiera ¿cómo podría soportar yo el no ser Dios? Por fantástico y exagerado que esto pueda sonar, no hace más que expresar en la forma del más radical personalismo un sentimiento que tampoco les ha sido extraño a las corrientes cristianas de la vida interior. En el cristianismo, a pesar de la distancia que se proclama del hombre frente a Dios y a pesar de su indignidad, alienta el ideal de "igualarse" a Él. Y este sentimiento se manifiesta en el ansia, perceptible en la mística de todos los tiempos y religiones, de hacerse uno con Dios, o expresado con mayor osadía, de hacerse Dios. La escolástica habla de la *deificatio;* para el maestro Eckart el hombre puede dejar de ser criatura y devenir Dios, como lo es según su esencia propia y originaria, o como dice Angelus Silesius:

Soll ich mein letztes End und ersten Anfang finden,
So muss ich mich in Gott und Gott in mir ergründen.
Un werden das, was er.

(Si he de hallar mi último fin y primer comienzo, tengo que fundarme en Dios y a Dios en mí, y convertirme en lo mismo que Él es.)

Es la misma pasión de la que también Nietzsche y Spinoza están saturados; no pueden soportar el no ser Dios. Pero ambos sustentan el supuesto, lo mismo que la mística alemana, de que la individualidad, el ser para sí, la particularidad no son compatibles con la universalidad, con lo divino, y en el sentido de estos dos supuestos obtiene Spinoza igual conclusión que la mística, y con plena consecuencia: por tanto, no hay ninguna particularidad, porque efectivamente, si sólo Dios es, si la individualidad de los seres no es más que una mera negación, una nada, entonces no es. Lo que parecía separar a estas individualidades, la determinación limitada, la forma exclusiva del yo que excluye toda otra, no es realidad alguna, no es ningún ser verdadero, y así nos precipitamos en la unidad indiferenciada de lo divino. Y si aquí la oposición entre Dios y el yo desaparece por la supresión del yo, Nietzsche consigue el mismo resultado con la negación de Dios. La oposición desaparece, sea cual sea el aspecto de ella que se sacrifique. Por el camino de la mística y de Spinoza no se llega tampoco a una unión entre el yo individual y Dios, puesto que ambos aniquilan la individualidad tan pronto como entra la *deificatio*. Para ellos, como para Nietzsche, es tan insostenible el que el individuo no sea Dios, que prefieren suprimir o al individuo o a Dios, para liberarse del tormento de la separación de Dios. Sólo Schleiermacher ha superado esta dualidad, porque no admitía aquel supuesto. Para él la particularidad y la universalidad divina no se excluyen, y más bien aquélla es la forma en que ésta se manifiesta; esto no ha de entenderse en el sentido de que la universalidad estuviese detrás de la particularidad y se revelase en ella; la personalidad, concreción única, es la forma en que vive el universo, en su existencia inmediata, no separable de esta forma. Por eso vive el universo entero, lo divino, en cada individualidad como tal individualidad. Mas, si la escisión no existe no hay necesidad de negar uno de los aspectos de ella. Pero si se cree en la oposición irreconciliable entre Dios y el individuo, la supresión del individuo que hacen la mística cristiana y el spinozismo, y la supresión nietzscheana de Dios, son los distintos caminos que encuentran dos almas distintas para resolver la misma dificultad. El hombre cuyo sentido de la vida lo induce a librarse de la forma individual, a la unión con el todo por medio de la supresión de la concreción individual, sacrificará al individuo y conservará a Dios; el hombre a quien se le presentan todos los ideales en la forma del ser individual sacrificará a Dios y salvará al individuo. Tampoco en este punto la opinión de Nietzsche es tan paradójica como su manera de expresarla. Sólo su motivo fundamental de la personalidad como valor supremo de la existencia lo lleva a sacar conclusiones tan distintas de las de aquellos pensadores, en apariencia mucho menos excéntricos que él, y cuyos supuestos de pensamiento y sentimiento comparte.

Lo mismo para el cristianismo que para Nietzsche, se trata de encajar la plena personalidad, que es el absoluto portador de valor en el mundo, en un sentido superior y fin de la existencia. El cristianismo alcanza esto por la idea del reino de Dios, al que pertenece el alma acá y allá de la limitación terrenal; Nietzsche por la idea de la humanidad, cuya superación se realiza por medio de sus más perfectos individuos, es decir, en ellos como tal. Esto adquiere toda su significación desde el momento en que se presenta el concepto de humanidad frente al concepto de sociedad. Cuando el hombre moderno en busca de valores va más allá del individuo, suele hacer alto en la sociedad como última instancia de la formación y prestación de valores; quizás porque ha llegado a ser el portador del poder material más considerable y el objeto de intereses éticos, una clase con la cual los miembros de las capas superiores no están unidos más que en el hecho de pertenecer a *una* misma sociedad que ella. Por lo demás, este concepto es tan poco claro como lo era, acaso, el de "naturaleza" que cumplió el mismo papel en el siglo XVIII. Ambos son síntesis donde corren mezclados todo género de representaciones sobre realidades fundamentales y normas ideales; la representación de Dios era la que hasta entonces había desempeñado principalmente esta función. Sin duda, cada época necesita un concepto en este lugar de su sistemática espiritual, un concepto que sea lo bastante elevado y lo bastante impreciso para servir a todos los intereses y necesidades de explicación posibles, que posea la mezcla de mística e inmediatez para que se encuentren en él los movimientos del sentimiento y del pensamiento y para que los unos adquieran en los otros un apaciguamiento provisional. Durante algún tiempo estos conceptos son absolutamente dogmáticos, y una crítica de su dignidad es vista como herejía aun por los espíritus más libres, pues están íntimamente asociados con las exigencias elementales y duraderas y con los pensamientos y sentimientos que a ellos van unidos, que el dudar de ellos parece dudar de las últimas esencialidades e interioridades. En realidad, la "sociedad" es una de las formas en que vive la humanidad, sus fuerzas, sus contenidos, sus intereses. Pero también puede considerarse la humanidad en la forma de la existencia puramente individual, de los contenidos objetivos individuales, de la existencia puramente natural, en la forma de su relación con sus fundamentos religiosos o metafísicos. Al llegar a adquirir la conciencia de que la vida era en cada momento *también* una vida social, de que la contemplación social –es decir, la que busca en la influencia mutua de los individuos la determinación de todo lo concreto– podía aplicarse siempre de algún modo, se ha caído en la tentación de identificar la forma de la existencia social con el hecho de la humanidad en general. El punto de vista social –histórico-social, psicológico-social, ético-social– que es uno de los muchos posibles y que realmente hace visible una de las mayores energías formadoras de la humanidad, se ha convertido a fines del siglo XIX en el punto de vista por excelencia. El que los límites de la humanidad coincidan, por decirlo así, espacialmente con los límites de la socialización, ha dado ocasión a que se los considere como conceptos paralelos en otras dimensiones: en cuanto al sentido, a las funciones. Ahora bien: en cuanto al fundamento en el que basa Nietzsche su teoría filosófico-histórica del valor, puede formularse en su significación más general diciendo que ha roto la identificación moderna entre sociedad y humanidad, que ha reconocido como tales en la vida de la humanidad valores que principalmente y en su significación son independientes de la formación social de la humanidad, aun cuando naturalmente no pueden realizarse más que en una existencia social. Es el mismo sentimiento que Goethe adopta frente a los problemas éticos capitales. Le interesa exclusivamente lo "general humano"; es preciso fomentar y dar expresión a esta unidad que penetra todas las oposiciones y limitaciones del mundo de los hombres, de manera que para él el problema ético-social que se eleva siempre por encima de las oposiciones entre el yo y los grupos o entre los grupos entre sí, le parece una cosa provisional y en realidad indiferente. Por eso no es tan trivial como hoy pudiera parecernos las consideración que frente a los saintsimonianos hace de que cada cual debía empezar por sí mismo y hacer su propia felicidad, de donde resultaría infaliblemente la felicidad del todo. La concatenación en las variadas formas de la sociedad con sus valores y sus conflictos retrocede al segundo término ante los otros dos conceptos fundamentales: la humanidad y el individuo. Pues a través de toda la historia del espíritu, desde los cínicos y los estoicos hasta Rousseau y el moderno cosmopolitismo, estos dos conceptos aparecen juntos, como fomentándose recíprocamente, y en este sentido en oposición común con el término medio de la sociedad. Así, para Nietzsche la humanidad, para la cual guarda toda su pasión, no vive más que en los individuos, libera a los valores e intereses humanos de aquellos límites y concreciones que les impone su unión exclusiva a la existencia en la forma de la sociedad, con lo cual no ha dado todo su valor a la importancia que la sociedad tiene aún para la formación de los valores individuales. La humanidad no cuenta más que con individuos como realidades definitivas; por el contrario, las sociedades son tan independientes y substantivas que, desde el punto de vista social, podría afirmarse que el individuo no es más que una ficción, como el átomo. Resulta muy instructivo el ver por medio de qué síntesis evolutivo-histórica presta Nietzsche al individuo una significación más amplia, que va más allá de su puro aislamiento. También para él "el individuo es un error, no es nada por sí, no es ningún átomo". Pero esto no en el sentido que se perdiese en las mutuas relaciones sociales, de que desapareciese en las funciones del dar y el recibir dentro de su grupo, sino de que "es en toda la línea hombre". La sociedad como conjunto no puede ser individual, en la concepción social es algo por sí y el individuo no puede existir más que en ella. En cambio, la humanidad puede existir en el individuo, de tal modo que Nietzsche continúa: "Si él supone una línea ascendente, la vida del conjunto da con él un paso más allá". De esta profunda diferencia, en cuanto al sentido del ser del individuo, deriva otra no menos profunda en cuanto al sentido de su valor. El concepto social del individuo suele tender a la equiparación, el uno como el otro no son más que puntos del tejido social, y como estos puntos nada son por sí y, por tanto, no pueden fundar nada diverso de las configuraciones sociales que en ellos se forman, la justicia pide que todas estas configuraciones sean iguales en lo esencial de su valor. Y de aquí se sigue además el dominio de los muchos sobre el individuo. Pues si todos son iguales en principio, muchos tendrán más valor y más importancia que uno, los muchos serán "la sociedad", y el fin y lo esencial y el individuo serán en sí irrelevantes, y no podrán existir más que como uno entre muchos y como uno para muchos; esta oposición no existe para el ideal del concepto de la humanidad, porque la humanidad no es una forma particular más allá de los individuos que la integran, sino que cada uno de ellos representa la línea entera de desarrollo. Ésta es la unión entre la curva del valor de la historia construida por Nietzsche y su idea de humanidad e individuos. La humanidad decae tan pronto como la cualidad de los individuos, que es la suya propia, deja de constituir el interés central, aplicándose el interés a la conducta ética, social, altruista del individuo con los otros, con los muchos. Y esto tiene que producirse tan pronto como, en vez de la síntesis de la humanidad en el concepto del individuo, toma la dirección el concepto de sociedad, aquella conformación del material humano que se señorea de los individuos, los disuelve en sí y por la igualdad ideal así conseguida hace a los muchos contenido del deber de los individuos.

Resulta evidente que este individualismo de Nietzsche nada tiene que ver con el del liberalismo. Pues éste es un ideal completamente social, sólo que considera como técnica de los impulsos finales de la sociedad la libertad del individuo, la acentuación del interés individual. El contenido de las normas es aquí el individuo como tal, que unido con otros en una mera suma da de sí la sociedad, su perfección, su fortalecimiento, su felicidad. Pero a Nietzsche no le importan los individuos en general, que como tales forman los elementos de la sociedad, sino solamente individuos determinados, a los cuales no son iguales los demás, o no lo son *a priori*, como quiere el liberalismo, sino que, por el contrario, *a priori* son desiguales. Nietzsche no toma partido ni por el socialismo ni por el liberalismo individualista, sino que se coloca más allá de esta oposición. A él no le interesan ni la sociedad como tal, ni el individuo por serlo; no quiere acentuar al individuo ni como individuo –acentuando así a *todo* individuo– ni como elemento de la sociedad, sino exclusivamente a aquellos individuos por cuyas cualidades el tipo humano adquiere un grado más elevado que el actual.

Con lo dicho hasta aquí no resulta aún claro por qué ha de existir una oposición de contenido entre ambos ideales, por qué no ha de darse en el ideal altruista-social la perfección del individuo en el sentido del desarrollo de la humanidad. Esto lo determina otro supuesto de Nietzsche. La convicción de la distancia natural que media entre unos hombres y otros. Es un hecho dado por la naturaleza el que entre los individuos existan diferencias que para él hacen que todos los ideales democráticos y socialistas aparezcan como cosas contra natura, y que fundamentan un deber diferente entre los individuos así diferenciados. La posición de Nietzsche se opone del modo más radical a la concepción socrática de que sólo existe *una* virtud que es lo mismo para todos. Y la perversidad de la evolución social cristiana consiste en que se ha hecho virtud de todo lo que es sólo virtud de clase, la humildad y la obediencia, el sacrificio y la renuncia. El mezclar las exigencias que deben plantearse a los distintos hombres le repugna tanto como si viese un organismo compuesto de miembros que perteneciesen a clases totalmente distintas. Y sin duda que la experiencia le ha mostrado que a menudo lo que constituye la fuerza de los débiles es la debilidad de los fuertes. La diferencia entre los hombres no está sólo en la diferencia entre sus disposiciones y actividades, sino también en el valor de las mismas; unos tienen cualidades no sólo distintas, sino más valiosas que otros. Y esta distancia de hecho es lo que da motivo a la mayor esperanza de la teoría de la superación. El que la humanidad entera marche al mismo paso hacia adelante es un pensamiento utópico y sin sentido; una evolución hacia arriba sólo puede realizarse estando diferenciados en distintos valores sus individuos, de manera que uno o pocos pueden lo que los demás no pueden. A partir de este hecho de la distancia, sólo hay dos caminos. El altruista-democrático niega que esté justificada; existe sin duda, pero no debe existir; el problema moral consiste en una nivelación, sea en la forma grosera de un comunismo mecánico, sea en una forma más fina. A cada cual deben ofrecérsele las mismas posibilidades para la adquisición de los valores de la vida, que la misma faena reciba el mismo salario, que el trabajo se mida según su cantidad y no según sus diferencias de cualidad; que las diferencias de aptitud sean compensadas, o bien por la previsión de adquisiciones sociales o bien por el altruismo de las personalidades más preferidas. Y esta distancia entre los individuos es la que da sentido a toda evolución humana, porque el gran séquito marcha adelante tan despacio, que sólo las avanzadas de la humanidad, que no se ligan al tiempo general, pueden adelantar considerablemente en su camino y extender más allá las fronteras. Pero, cuanto más enérgicamente y con mayor éxito se produzca esto, tanto mayor será la diferencia entre los más altos ejemplares y la masa de la humanidad. Así como para el punto de vista ético-social todo desarrollo individual en el que al propio tiempo no se mire hacia atrás, en que no se recoja a los que se quedan retrasados, en que la marcha no se adecue a las capacidades de la mayoría, para este punto de vista es un delito la teoría de la superación, por el contrario aquel que entiende que los ejemplares más altos de la humanidad señalan el largo de su línea de desarrollo, tiene que tener por un pecado contra la humanidad todo obstáculo puesto a la elevación de cualidades individuales, todo retraso en el camino hacia arriba por respeto a los que se quedan atrás. Para la teoría de la superación, el hombre de cada estadio determinado ha de ser superado en favor de otro más elevado; para la ética-social, el hombre tiene que superarse a sí mismo en favor de los más bajos. El que "el hombre sea superado" es una de las ansias más profundas de la humanidad; allá, en el fondo de nuestro ser, vive una gran hostilidad contra toda la realidad de nuestra existencia. La lucha contra nosotros mismos, a la que se nos llama con más o menos claridad desde esta hondura, ha producido un ideal meramente negativo. El hombre ha de superarse a sí mismo, según este ideal, aniquilando la sensualidad, humillándose ante Dios, anulando el yo empírico y poniendo en su lugar el yo puro, negando la voluntad de vivir: Nietzsche es quien primero intenta esta superación por un empleo de fuerza, que se dirige al hombre mismo y no a sus más bajos elementos –como tampoco socialmente a los que están por debajo de él–, sino exclusivamente por una elevación de elementos positivos de vida. El hombre debe ser superado; pero no porque sea demasiado, porque se esconda en algo que deba ser tronchado, sino porque es demasiado poco, porque lo que hay en él de positivo debe ser intensificado de tal manera que se deje a sí mismo tras de sí. También para Schopenhauer el hombre debe ser superado; pero en Schopenhauer el hombre es el superado y para Nietzsche el que supera.

Toda la oposición entre las morales de Nietzsche y Schopenhauer se condensa en el punto de la compasión, que para Schopenhauer es portadora de la sustancia de toda moralidad, porque es la forma interior inmediata de la solidaridad de todos los hombres, mientras que Nietzsche la combate del modo más duro por igual razón. La ética social, prescindiendo de algunas muy escasas formas suyas profundizadas, es plenamente eudemonista; nace de la miseria, de la privación, de la existencia oscura de la gran mayoría de los hombres; es el resultado práctico del sufrimiento de las masas inferiores, y acaso es el sufrimiento mismo. En cambio, para Nietzsche el sufrimiento –como se verá después con más detalles– no es un elemento ético, como tampoco lo es la felicidad, puesto que sólo el ser del hombre, y no su reflejo eudemonístico subjetivo, es lo que posee valor e interés ético; el sufrimiento es, a lo sumo, un medio de intensificar por reacción, indignación y lucha del ser. Acusa al compasivo, que quisiera suprimir el dolor en su profunda necesidad interior para el desarrollo de la humanidad. Pero ante todo odia aquella solidaridad de los seres en que se produce la compasión, y que con ella hace desaparecer la sustantibidad de las personalidades y nivela sus diferencias. Al compasivo el sufrimiento ajeno le quita lo propiamente personal, lo hace presa fácil para el que sufre; la compasión es la virtud en que, como la experiencia enseña, se distinguen las prostitutas; es decir, los seres en que la reserva de la personalidad ha cedido más a la promiscuidad, a la entrega sin elección. La compasión hace descender profundamente al hombre, y en la mayoría de los casos lo hace descender hasta los débiles, los caídos, los vencidos. Y mientras que ésta es precisamente la misión social valiosa en sí misma del hombre ético-social, para Nietzsche constituye la más radical negación de la distancia entre los hombres, en la que vive el ideal de la superación hacia la fuerza y la belleza, hacia la libertad y el rigor.

Tan opuestas convicciones no pueden refutarse una a otra, pues cada una de ellas sólo podría hacerlo apelando a principios axiomáticos, a los cuales no concede el otro partido fuerza decisiva. La humanidad, la preocupación por los muchos, el sacrificio en pro de los desgraciados no son admitidos por Nietzsche como elementos que puedan dar la última decisión en la valoración de la conducta de los hombres; y el que esto sea absolutamente malo y condenable no exige prueba ninguna para el punto de vista opuesto; pedir esta prueba sería tanto como exigir que, después de señalada en un principio la contradicción lógica, se demandase aún la demostración de que era falso. Y si, por otra parte, se piensa que la cualidad de un individuo como tal, la altura que ha alcanzado en un momento determinado el desarrollo de la humanidad, es indiferente frente a la miseria de las masas, frente a la falta de desarrollo del término medio de los hombres, frente a la injusticia en la repartición de los bienes, cesaría para Nietzsche toda discusión, porque para él, eso que se niega es el valor absoluto de la existencia. Prueba y contraprueba son sólo posibles cuando se reconocen ciertas verdades comunes, y ambos partidos admiten que la conformidad o no conformidad de estas verdades es decisiva. En tal caso, la discusión es de naturaleza teórico-intelectual y tiene que poder decidirse principalmente, porque en virtud de axiomas aceptados no puede haber más que una verdad. Pero entre la teoría social-ética y la de Nietzsche la disyunción llega hasta el fondo, falta el último principio común al cual pudiesen ambos referirse, y por eso en ella no están frente a frente razones ni opiniones, sino hechos, dos maneras humanas de ser que no pueden convencerse lógicamente, sino tan sólo psicológica o prácticamente. El odio de Nietzsche contra el cristianismo se dirige sobre todo contra la igualdad de los hombres ante Dios, de la que es consecuencia la aplicación del interés práctico a los pobres de espíritu, a los mediocres, a los caídos. El que el alma de un desdichado cualquiera, o de un imbécil, tenga el mismo valor que el alma de un Beethoven, es el punto en que se separan las dos concepciones del mundo. Y aun cuando ninguno de los dos sistemas de valoración pueda apoyarse en una prueba, se ve con claridad cómo aquella igualdad tiene que ir en contra de un punto de vista de la superación. Si hay una serie que va del animal al hombre, o si por lo menos la ha habido en algún período de la historia del mundo, no puede fijarse el punto en que comienza el "alma"; aun cuando este límite pudiera precisarse, no podría precisarse el límite entre el alma del animal y la del hombre; y aun cuando también sobre éste no hubiese duda, resultaría que al ser el alma un producto de la superación, este primer momento, en que el alma del animal se convertía en alma humana, tendría que representar un estadio mucho más bajo de humanidad, sería un alma mucho más cerca de la animalidad que otras almas producto de un desarrollo posterior. Si ha habido una serie de superaciones para llegar a la humanidad, debe haberla también dentro de la humanidad. La esencia de la evolución, en contraste con la fijación definitiva de las especies, es que cada ser concreto representa, por decirlo así, un grado de la evolución; que lo que se llama especie no es más que una reunión prácticamente conveniente de seres semejantes, los cuales varían hasta lo infinito entre sí por mezclas y oposiciones, por progresos y retrocesos. No otra es la razón profunda en virtud de la cual un fanático de la superación como Nietzsche sea individualista, y en virtud de la cual tiene que ser un enemigo irreconciliable de la "igualdad ante Dios", que presta una consagración trascendente a la negación de aquel pensamiento.

Tal vez la igualdad ante Dios sea una noble exaltación del hecho del alma en general, al lado del cual todas las diferencias entre sus contenidos y modificaciones singulares son tan insignificantes, como para la significación cultural de la escritura es indiferente el que un escrito determinado esté mejor o peor escrito. De manera que acaso se refleja una exaltación del principio del alma en la idea de que toda alma, como tal, está destinada a la bienaventuranza. Y si las penas del infierno y la gracia parecen limitar y contrapesar esta idea, también estas ideas se producen sobre la base de una enorme significación del alma, muestran su acentuación frente a todos los demás valores, sólo que con signo negativo, pero en el fondo es lo mismo, de la misma manera que la cuantía de una suma es la misma si se la considera como haber o se la considera como debe. Esta valoración absoluta del alma ha encontrado su más plena expresión filosófica en el idealismo de Fichte. Para Fichte no sólo el yo saca de sí el mundo, que no es otra cosa que su representación, sin dejar espacio para una cosa en sí que no fuera representación, sino que el yo produce el mundo porque es actividad y la actividad no puede realizarse verdaderamente más que en un objeto, esto es, en la formación, penetración, superación de un objeto. Sin duda que el cristianismo habla de la superación del mundo, que realmente se demanda al tasar de tal modo el alma, simplemente porque es alma. Pero no puede resolver por entero la cuestión de a qué fin el rodeo por el mundo, de por qué Dios no ha llamado inmediatamente a las almas a la bienaventuranza. Sólo cuando, como Fichte, se pone la esencia del alma en la actividad y productividad, se comprende por qué existe un mundo. El alma tiene que producirlo para tener algo en donde ser y, más exactamente, en donde ocuparse; para compenetrarse con él; esto es, para poder superarlo. Este absoluto valor del alma, del cual es consecuencia la igualdad ante Dios –pues en lo absoluto no hay diferencias–, repugna a la teoría de la superación, que liga estrechamente al hombre con el resto de la naturaleza en vez de contraponer ambos términos. Ya de esto sólo deriva una disposición contra la igualdad de las almas, que hace considerar que lo importante no es la igualdad, sino los puntos más altos en la serie de las almas.

Aquí está la profunda escisión entre estas dos valoraciones opuestas. De un lado se basa el valor de la humanidad en la igualdad de sus ejemplares –considérese esta igualdad como una realidad o como un ideal–, mientras que para Nietzsche está en que existen en la humanidad puntos más elevados, que su distanciación permite a ciertos individuos desarrollarse por encima del nivel corriente. Esto último podrá considerarse como una exaltación de la necesidad psicológica de diferenciación. Nuestra estructura es de tal modo, que las excitaciones que más nos afectan son aquellas que se diferencian de las que acabamos de experimentar. Cuando una serie de excitaciones sensuales va despertando en nosotros sensaciones, las sensaciones crecen mucho más lentamente que las excitaciones; se decir, que para que las sensaciones se dupliquen, las excitaciones tendrán que crecer en mayor proporción que el doble. Por tanto, no somos sensibles para la cuantía absoluta de la excitación, sino para la diferencia entre esta de ahora y la anterior. Todos los fenómenos que llamamos embotamiento y que producen, por ejemplo, que en la quietud de la noche percibamos innumerables ruidos que no llegaban a nosotros durante el día, a pesar de que también estaban en él, nos indican aquella peculiar disposición nuestra en virtud de la cual las impresiones no nos afectan en proporción a la masa absoluta de su contenido, sino según el estado en que nos encontremos, según el fondo sobre el que se dibujen; en una esfera un poco más elevada se ha hecho hace mucho tiempo fructuosa la observación corriente de que una adquisición de patrimonio que produce la dicha del pobre, al rico lo deja indiferente. Cuanto más complicado y suprasensible sea el contenido en cuestión, tanto más contribuirá a determinar su efecto y éxito interior la sensibilidad o embotamiento personal. A medida que el último crece, aumenta la exigencia que pide un ser siempre distinto para que sea posible una impresión; y cuenta que el embotamiento no significa un estado natural de cultura primitiva –en estos estados se da con frecuencia una sensibilidad fácilmente afectable–, sino que, por el contrario, es el resultado de una sensibilidad muy refinada, pero que al refinarse se ha gastado. La moderna diferenciación de las personalidades y la individualización del hacer y del ser, están en correspondencia mutua con un crecimiento de la sensibilidad para la diferenciación en relación con las imágenes del mundo ambiente. Ahora existen ciertas capas de nuestra cultura en las que esta individualización ha alcanzado un grado extremo, hasta llegar a producir un sentimiento de pleno aislamiento, de un vivir para sí, en el que los unos no entienden el lenguaje de los otros; de este estado, ahora, nacen dos diversos resultados psicológicos. La sensibilidad para la diferenciación puede estar de tal modo cansada y saciada lo mismo del propio yo como del mundo ambiente, que nazca el ansia de una constitución distinta, que demande una humillación de la individualización exaltada, ya insoportable; según esto, la tendencia más o menos seria de los círculos a los que aquí nos referimos hacia el socialismo sería, expresada psicológicamente, la necesidad de sosiego de la sensibilidad para la diferenciación, el ansia de una constitución en la que el propio sentimiento de la vida y la imagen del mundo de los hombres no exigiesen una tan grande exaltación de la observación de diferencias. Al contrario; precisamente porque la sensibilidad para la diferenciación ha adquirido un desarrollo tan grande, necesitamos buscar excitantes mayores para poder todavía sentir. De este modo la acentuación nietzscheana de las manifestaciones individuales elevadas de la humanidad, su demanda de distancias cada vez mayores entre ellas, es la expresión de una sensibilidad embotada en la dirección del individualismo moderno que tiene que apelar a excitaciones de una diversidad cada vez mayor si quiere sentir su propia vida. La oposición radical entre el socialismo y Nietzsche aparece aquí como la oposición de las respuestas de dos tipos espirituales opuestos a un mismo hecho psicológico; del mismo modo —si se nos permite un símil tomado de tan bajas esferas— que un gusto embotado por exceso de excitantes gastronómicos, se refugiará, o en una alimentación completamente rústica, o buscará refinamientos inauditos que superen a todos los hasta entonces gozados.

Que aquí se trata de oposiciones entre los sentimientos formales de la vida, es cosa que podrá advertirse bien contemplando cómo en el más original antípoda de Nietzsche, en Maeterlinck, la valoración democrática desciende hasta los elementos del alma individual. Así como para Nietzsche el valor de la humanidad está en los individuos más elevados, así también dentro de la vida individual, acentúa a menudo el valor de determinados momentos de gran intensidad; éstos son también la culminación de la vida, los polos decisivos en nuestro pender entre el cielo y el infierno en que halla sentido nuestra existencia. Por el contrario, para Maeterlinck los mayores valores de la vida viven en la existencia cotidiana y en cada uno de sus momentos, y no necesitan de lo heroico, de lo catastrófico, de los hechos excepcionales. Con una extraordinaria finura nota que precisamente lo desacostumbrado y excesivo, aunque en ello se exprese la grandiosidad de la moral, del temperamento, tiene siempre alguno de casual y exterior; no se verifica nunca sin mezcla de material del mundo y del destino. El yo verdadero, la totalidad segura del alma, está en lo duradero, en los miles de elementos de la existencia ininterrumpida. Quisiéramos probar todas las grandes pasiones, las exaltaciones inauditas, los placeres salvajes; pero su producto no es más que lo que de ellos queda para las horas tranquilas, innominadas, uniformes, y el que nos hayan abierto los ojos para percibir profundidades y bellezas que sin aquella interpretación exagerada no hubiéramos llegado a percibir. El hacer descender de esta manera a lo extraordinario convirtiéndolo en un medio de espiritualizar lo ordinario; el valorar de esta manera lo cotidiano, donde está toda la interioridad duradera del hombre, es la más profunda expresión filosófica de la tendencia democrática. Nuestra dicha y nuestra dignidad arraigan en el nivel ordinario y duradero de nuestra vida, en aquello que es común a todas nuestras acciones y aventuras –del mismo modo que para el socialismo lo esencial es lo que es común a todos los hombres–; no en lo extraordinario, sino en lo ordinario; no en lo inverosímil, sino en lo seguro. Pues en esta esfera es donde propiamente vive nuestra alma, independiente de todo lo exterior, de todas las posibilidades del acaso, de todas las excitaciones meramente momentáneas. En el esfuerzo moderno por comprender la vida según su valor, en el cual emprendimos esta exposición de Schopenhauer y Nietzsche, se habla aquí de este adversario de Nietzsche, porque la democratización de la vida interior –y, como su consecuencia, manifestación de la exterior también– no significa en él la renuncia a aquellas cualidades, profundizamientos y desarrollos que Nietzsche sólo cree posibles por la diferenciación y distanciación aristocrática de los elementos. Lo que

Maeterlinck representa es lo mismo que ha hecho ver la escultura de obreros de Meunier: el valor individual, aristocrático y estético del individuo, que, sin embargo, se expresa como un igual en una multitud. Maeterlinck y Meunier –por lo menos en la intención– han alcanzado, por medio de la metafísica y el arte, lo mismo que en la forma de la práctica socialista sólo es posible mediante la renuncia a aquellos valores vitales que para Nietzsche dan su significación a la vida.

La oposición fundamental entre los valores sociales y los humanos, en la forma que Nietzsche ha dado a estos últimos, puede expresarse de este modo: El valor de la situación de un grupo de hombres determinado se ha considerado como igual a la suma de los valores eudemonísticos, culturales, que corresponden en la convivencia y en la sucesión a cada uno de los seres individuales; y la importancia de una forma de existencia, acto o institución, se producía, por decirlo así, como el resultado de la proporción entre la masa y dimensión media de los valores que contiene. Mientras que para Nietzsche, la altura del más alto punto alcanzado en un grupo de hombres, decide sobre el valor general que representa el grupo entero. No le importa el que miles de hombres posean una media de felicidad, libertad y cultura, sino el que pocos, y en último caso uno solo, realicen en sí una medida excesiva de estos valores y fuerzas, aun cuando para eso aquellos miles tengan que quedar en un estado muy bajo; esto es para él el sentido, el fin último de la superación de nuestra especie. La altura del tipo humano no se determina para él por el término medio de los individuos, sino por la altura máxima que entre ellos ha alcanzado la humanidad. Entre estas dos apreciaciones no hay arreglo ni unión posibles, porque su oposición no se refiere al valor que esta o la otra realidad pudieran tener, sino a la medida según la cual han de medirse en general los valores. No puede decidirse lógicamente la razón o sinrazón entre dos maneras de pensar, una de las cuales saca el valor de un complejo de elementos de la media del valor de todos los elementos componentes, y otra del valor más alto que en él se encuentre independientemente del número de elementos en que se dé. Tampoco puede conciliárselas, pensando que la estructura de la sociedad que tiende a elevar ilimitadamente a los elementos más capaces eleva también el nivel medio social; que los valores totales de un grupo, aun desde el punto de vista de suma, alcanzan el máximum con una diferenciación aristocrática. Éste sería el punto de vista de una aristocracia social, en la que el orden aristocrático fuese el medio para el bienestar del todo; pero entender así el principio de Nietzsche implicaría una equivocación grosera. Pues para él, el que se llegue al punto de máxima altura de las cualidades humanas no es un medio para ningún bien ni progreso, sino que es un fin en sí mismo, aun cuando no, como se tratará más tarde con detalle, mirando a las ventajas egoístas de las personas, sino porque así se eleva el tipo humano. Ahora bien, la elevación de los valores personales no es un medio para este fomento del tipo humano, de manera que la elevación de la humanidad en el sentido de sus valores fuera algo distinto de este fomento, sino que con él tan sólo la humanidad ha progresado ya un paso. Por tanto, sobre la base de la aristocracia social no pueden conciliarse las dos medidas que pueden medir el valor de un complejo de elementos: la de la suma o el promedio, y la de la altura de los elementos más elevados.

El procedimiento que emplea Nietzsche para apreciar los valores humanos es, en cierto modo, una inversión de la teoría económica de la "utilidad límite". Si ya existe en el mercado una determinada cantidad de una mercancía y está fijado por la oferta y la demanda un precio para cada una de sus partes, una cantidad nueva de la misma mercancía que llegue al mercado alcanzará un precio más pequeño, puesto que la necesidad más urgente está ya remediada por la primera cantidad. Si el proceso transcurre naturalmente, la primera cantidad será más cara que la segunda, la segunda más que la tercera, etcétera. Y se ha observado que el precio de una determinada cantidad de una mercancía ofrecida toda ella al mismo tiempo no excede al que alcanzaría la última parte de ella, según el principio anterior. Por tanto, se puede afirmar que la totalidad de una mercancía no excede del precio de la parte más barata de ella. Tampoco aquí, pues, se determina el valor de un complejo de elementos por un promedio, sino por un extremo, ahora que el extremo contrario al que sirve de medida en la valoración nietzscheana, y esto porque en lo económico el comprador busca que el precio sea bajo, y en los valores humanos se busca la mayor elevación del valor.

En las valoraciones sociológicas, religiosas, éticas, se mezclan con frecuencia las determinaciones por sus extremos y las determinaciones según promedios. Israel hubo de salvarse por *un* justo. El prestigio que adquiere una familia u otro cualquier grupo social por un miembro eminente, suele darse con independencia del valor y de la significación que por lo demás y en promedio tiene. De otra parte, la solidaridad que, sobre todo en estadios primitivos de civilización, reúne a los tipos más distintos de los grupos sociales tiene efectos que, ante todo en el aspecto pesimista, van muy lejos. Pena y venganza hacen responsables solidarios a todos los miembros de una comunidad por el delito de uno solo de ellos; en la práctica y en el sentimiento se hace responsable al todo, del delito de uno de sus miembros... con mayor frecuencia que se aplica al todo una acción buena de un individuo. Cuando, dentro de lo puramente ético, se presenta el problema de la significación de los elementos de un individuo para el valor de su totalidad, se resuelve de muy distintas maneras. Hay una manera de sentir que se simboliza típicamente en la balanza del juicio final, en la que sopesan nuestras buenas y malas acciones, decidiendo el predominio de las unas o las otras, de la salvación o condenación. Ésta es la máxima de valoración según el predominio; el todo vale lo que vale la suma de sus elementos: los positivos como los negativos. Pero también en esta esfera se encuentra el aprecio del todo determinado por el valor del elemento más alto. Ocurre no pocas veces en los juicios de los hombres sobre los hombres que un solo acto, muy bueno o muy malo, determina de una vez la representación de la personalidad entera, y al lado suyo en nada modifica esta representación el resto de las acciones malas y buenas. El que un hombre haya realizado esta acción, buena o mala por completo, es suficiente para colocar su personalidad todo lo alto o todo lo bajo que aquella acción trae consigo, prescindiendo de todos los demás factores que pudieran encontrarse en él para determinar su rango. Y por cierto que esta valoración del todo en virtud del punto supremo alcanzado en la escala de valores, no es sólo un tercero quien la hace, sino que el mismo sujeto adquiere a menudo, como consecuencia de lo más bueno que haya realizado, una inconmovible seguridad en sí mismo, o como consecuencia de lo más malo, una incurable desesperación. Claro que estas valoraciones no están nunca fijadas en principio; pero las valoraciones que en la realidad se verifican contienen, puros o mezclados, estos dos criterios: El de que un todo vale lo que vale la suma de sus elementos y —esto acaso con menos frecuencia y menos claridad, pero no por eso menos decisivamente– el de que vale lo que vale el elemento máximo positivo o negativo de entre todos los que lo integran.

La analogía más exacta del criterio de valoración de Nietzsche se halla en la esfera del arte. El valor de una época de la historia del arte en que aparece un genio de primer orden, entre un gran número de artistas de poca significación, está para nosotros por encima del valor de otra época en la que "la capacidad media" es mucho mayor, en que viven un gran número de talentos "estimables". Y el mismo criterio de valoración se aplica a la producción de un artista determinado. La altura que para nosotros tienen el Ticiano y Rubens, Shakespeare y Goethe, Bach y Beethoven, no está determinada por la altura media de su obra. Cada uno de ellos ha producido en el transcurso de su enorme creación una serie de obras indiferentes y hasta de una mediocridad que asombra, y si con ellas y las obras maestras construyéramos un resultado medio, quedaría muy disminuida sin duda la significación que para nosotros tienen. Pero su significación está determinada tan sólo por sus obras supremas; cada uno de ellos como conjunto vale para nosotros tanto como vale el punto o los puntos más elevados de su producción. Y lo mismo ocurre, en último término, con todas aquellas personalidades cuya significación está en una obra independiente de su vida subjetiva, en una contribución al espíritu objetivo. Hay poderes históricos de todas clases que trabajan constantemente en la obra de sepultar en el olvido lo menos importante de la obra de dichos hombres, y en medir su significación por lo más óptimo de esta obra, aun cuando por su extensión sea muy poco. Si he hecho fijar la atención sobre estos criterios de valoración, ha sido para que se viera claramente que el medir, como lo hace Nietzsche, el valor de la humanidad en sus más elevados ejemplares no es nada inaudito como teoría de valor, sino que está dentro de un método que se emplea con frecuencia, y que lo único que él ha hecho es darle una construcción fundamental de la que carecía, llevándolo a la esfera de la existencia social o humana.

En cuanto se ha visto esto, se comprende que Nietzsche tenía que contemplar las corrientes democráticas socializantes del siglo XIX como el camino hacia la decadencia de los valores de la humanidad; más aún, como la decadencia absoluta. Su fórmula de valoración no es más que la expresión apasionada del ansia de elevación de la humanidad, del fanatismo de la altura en la superación, que enceguece por completo para la significación de la amplitud en que la superación se verifica. Toda acentuación de esa amplitud, de esta base, que pudiera ser obstáculo al desarrollo de una energía individual cualquiera, tenía que parecerle una traición a la humanidad. La tendencia de la democracia a disminuir la distancia entre las capas superiores y las inferiores de la humanidad, sólo le parece posible poniendo trabas al desarrollo de las primeras. Como la mayoría no puede desarrollarse con tanta rapidez como los pocos y escogidos, éstos tienen que descender hasta aquéllos, o por lo menos que estarse parados algún tiempo (valga la frase) para que aquéllos puedan alcanzarlos. La coincidencia del pensamiento de la superación, con el de la determinación axiomática de todo valor humano por el valor del elemento más elevado del conjunto, produce lógicamente el que se considere como una decadencia todo movimiento social en sentido democrático, es decir, en que se lo considere como pérdida de los instintos de crecimiento y elevación.

Lo que Nietzsche llama "la voluntad de poder", y en cuya disminución se sintetiza para él toda decadencia, no es otra cosa que la culminación de esta teoría del valor. Si quisiésemos resumir en una fórmula abstracta su significado, la fórmula sería ésta: La altura absoluta de un ser humano está condicionada por su altura relativa. Es decir, que un hombre representa un grado elevado en la escala social, en el sentido de que dentro del grupo social ocupa el grado esencialmente más alto que otro; claro está que esta elevación no ha de entenderse en el sentido corriente de la exterioridad social. Para Nietzsche, la elevación de la vida lleva consigo una continua intensificación de fuerzas que se dirigen sin falta al mundo ambiente, lo aprovechan, lo dominan y esta acumulación de fuerza, esta exaltación, que sólo puede realizarse venciendo y superando a otros seres, es la portadora de las cualidades individuales de fuerza y nobleza, de la significación y la intensidad de la personalidad. Lo que hasta aquí no era sino la condición exterior, por así decirlo, de la vida creciente, y el motivo de la distanciación, el que los muchos, los innumerables débiles y mediocres no puedan ascender con la rapidez de las avanzadas, de los genios, de los nacidos para el mando, recibe ahora su razón positiva e interna. El nivel de la masa o de la sociedad socialista puede elevarse o permanecer idéntico, pero nunca podrá poseer por su naturaleza el valor de la vida concentrada, que sólo se eleva culminando sobre otros. Vivir es sin remedio, una acumulación de fuerzas, lucha y victoria, poder que consume y destroza; y esta voluntad de poder, esta dominación eleva su altura, tanto más cuanto más vida es. Si en este concepto se prescinde de las brutales aplicaciones que a primera vista se advierten, y se lleva a la explicación de los más finos procesos de vida incesantes, en los que innumerables veces ejerce su acción de un modo velado y fragmentario, no podrá negarse su profundo sentido. Del mismo modo que la esencia del amor es crecer siempre en sí, mientras que su fundamento sigue existiendo de veras, hasta el punto de que con concisión paradójica pudiera decirse que amar es amar más, así para Nietzsche vivir significa vivir más, y de esta manera cumple la vida en su más profundo sentido su forma de superación. Pero esto sólo es posible alimentándose la vida de sí misma, de manera que su altura se consiga a costa de su anchura o base; y esto, no por una mera necesidad exterior que pudiera cambiar bajo otras circunstancias sociales más favorables, sino por la propia esencia interior de la vida, que tiene que ser así o no ser. Por la incondicionada solidaridad de la vida en general con este concepto, se explica que Nietzsche no parezca sentir la enorme tragedia que esta representación de la vida ha de encerrar para cualquier otra concepción; lo terrible de esta necesidad lógica de que el interés social sea destrozado por el humano, de poner la elevación del individuo en la altura en que está sobre la base de los otros, dominador y vencedor.

Como para Nietzsche se trata de una deducción lógica desprendida de premisas axiomáticas, resulta comprensible que no se dé cuenta de la incompatibilidad de este pensamiento, de la imposición de las grandes personalidades a través de la dominación de la amplia masa, con el ideal de la distinción, de cuya importancia para él hemos de ocuparnos luego. Pues si la vida individual requiere tanto, ello mostraría que no se basta a sí misma, que no puede vivir, en cuanto individual de sus propias fuerzas. Por lo menos Nietzsche debió trazar exactamente el límite entre su voluntad de poder y la persecución vulgar del bienestar egoísta, poniendo en claro que el valor no está en el dominio y la fuerza como realidades exteriores, sino en la cualidad del alma soberana que en ellas se expresa. Por otra parte, a las resistencias éticas contra esta doctrina sólo debiera oponerse un concepto metafísico de la vida; habría que comprenderla como una unidad que adquiere su valor máximo, conformándose con una pirámide que desarrolla sus fuerzas de manera más perfecta, haciéndolas culminar en una cima. Los individuos no serían, según esto, más que aquellas vasijas o formas a través de las cuales, o en las cuales, se realiza el único proceso esencial de la vida de la totalidad.

La relación entre el ideal de Nietzsche y el que suele prevalecer hace comprender que él, en oposición con Kant y Schopenhauer, no pueda creer que el filósofo se limita a la misión de codificar la moral corrientemente practicada, o por lo menos postulada, sino que lo considera como el legislador que ha de redactar las "nuevas tablas". También aparece claro que el "inmoralismo" del que él habla siempre no es, ni mucho menos, la negación de la moral, del deber. Lo único que hace es llenar con otro contenido el deber moral; pero su forma existe lo mismo que en Kant, por cierto más inmediatamente y con más fuerza, puesto que el imperativo de Kant no pretende sino formular un hecho de la razón humana, mientras que los valores de Nietzsche tienen en sí mismos un carácter imperativo. Pues Kant, el teórico objetivo con su imperativo, no quiere más que formular un hecho de la razón humana que, sígase o no de hecho, siempre existirá como ideal fuera del tiempo; en cambio Nietzsche, el moralista práctico, quiere formular un nuevo ideal, demanda una nueva exigencia. Sólo que en él se ha cumplido la asociación peligrosa y expuesta a malos entendidos entre el contenido que hasta entonces había tenido la moral y la moral absoluta, que a la negación de aquel contenido llama inmoralismo. Y este descuido de expresión, en la que se daba por sobreentendido el complemento por el deber positivo y riguroso, ha engendrado aquella triste descendencia para la cual la liberación de la corriente anterior de la moral no significa una nueva ley, sino la ausencia de toda ley. Para Nietzsche esto hubiera sido tan decadente como la democracia y como cualquier dirección de la línea de la voluntad en sentido descendente. Pues el instinto, para los fines supremos de la humanidad, lo mismo falta si se manifiesta en leyes perversas, negadoras de la vida, que tienden a la debilitación de los fuertes, que si no se expresa en ninguna ley. Con claridad brillante se le presenta a él, por encima de la negación de la moral democrático-altruista, por encima del "inmoralismo", la nueva moral:

"La moral es hoy en Europa moral de animales de rebaño. Es decir, tal como nosotros vemos las cosas, *un tipo* de moral humana, al lado de la cual, antes de la cual, después de la cual son posibles o deberían serlo otras morales, y sobre todo otras morales más elevadas."

VIII. La moral de la distinción

Hay quien ha dicho que la doctrina de Nietzsche era una repetición de la sofística griega. En ésta aparecen también la radical oposición contra toda la moral histórica reconocida, la entronización de lo meramente natural como regla de conducta, la acentuación del arbitrio individual en el lugar que antes ocupaban las normas objetivas, y el reconocimiento del derecho de los fuertes, contra el cual tienden a defenderse los débiles mediante una igualdad de derechos de todos carente de fundamento alguno. Pero esta asimilación de Nietzsche a la sofística implica no haberse dado cuenta de la significación de ambas doctrinas. La esencia de la sofística consiste en sustituir el sentido y valor objetivo del hacer y del ser por su valor para el sujeto. Al contrario, para Nietzsche sólo tiene valor el sujeto cuando posee valor objetivo. La sofística mide lo objetivo según una escala subjetiva; Nietzsche, lo subjetivo según una escala objetiva. Sin duda que no se entiende aquí por objetividad la obra externa, el hacer demostrable en sus resultados, sino el ser, la cualidad del tipo humano que en el hacer se manifiesta; pero ésta se mide según una medida absolutamente objetiva, según el grado que este ser individual tiene en la superación humana. No es que Nietzsche ponga la persona al servicio de una "cosa"; la persona es el portador definitivo de fines y valores; pero lo que importa no es la significación de su ser y su conducta para su propia subjetividad, sino su significación desde el punto de vista de la elevación humana. Lo original de esta valoración, que separa a Nietzsche de los sofistas, pero que fomenta una diferenciación más profunda y más fina del pensamiento, es que la "humanidad", en el sentido de Nietzsche, no está más allá de los individuos (como muchas veces afirman los sociólogos respecto de la sociedad), sino que vive exclusivamente en ellos, dando, sin embargo, una medida para su valor. Según los sofistas, el sujeto no halla en sí más que a sí mismo; según Nietzsche, se halla a sí mismo como un progreso o retroceso de la humanidad, determinado por la medida que está fijada por la elevación de nuestra especie; y esto ocurre con plena objetividad aun cuando pueda no haber unanimidad sobre el contenido de esta superación y sobre la cabida en ella de esta manifestación individual. Ésta es también la diferencia fundamental entre Nietzsche y Max Stirner, al cual se lo ha equiparado también en virtud de ciertos indicios tan superficiales como los que lo aproximaban a los sofistas; pues también para Stirner todas las medidas y valoraciones son ilusiones sin realidad, meras sombras, frente a las cuales, como única realidad, está el sujeto. A Stirner le parecería sin sentido el que el yo pudiera significar todavía algo suprasubjetivo, el que se lo colocase en una serie cualquiera de valores. En él es en quien ha encontrado su renacimiento la sofística y no en Nietzsche, el cual ha escrito: "Me horroriza el ánimo degenerado que exclama: ¡Todo para mí!".

Por esta diferencia se destaca la teoría de Nietzsche frente a las otras: por el sello específico de la distinción. Dentro de lo puramente espiritual hay unanimidad en considerar la objetividad como sinónimo de nobleza. El tratar objetivamente la opinión del contrario, el no dejarse arrebatar por una pasión subjetiva, el no emplear en la discusión más que argumentos objetivos, son cosas del espíritu distinguido. Se designará la distinción –y ello habremos de tratarlo con más detalle–, como una conducta formal, en la que coinciden de una manera característica una personalidad decidida y una decidida objetividad. Como criterio de valoración de la personalidad, significa que se siente el valor objetivo de la persona. El sentimiento verdaderamente aristocrático implica severidad para consigo mismo, puesto que no aprecia el valor de la propia existencia por la casualidad de la posición exterior ni por lo que la vida nos proporciona en dones y goces, sino porque seamos dignos de poseer todo esto; de aquí la "dignidad del hombre distinguido". La dignidad, considerada en sí, es un concepto de relación; se es "digno" de alguna cosa; le viene a uno, según una medida objetiva, téngase o no. Pero lo que da la impresión de dignidad absoluta es una personalidad que en toda su conducta y exigencia demanda para sí lo que le corresponde, según una medida objetiva, nada más, pero tampoco nada menos. Es posible que el aristócrata piense que los hombres y las cosas tienen que servirle; pero se diferencia del "*parvenu*" y del mero buscador de goces, en que cree merecer esto por la objetiva cualidad de su persona, según una justicia objetiva, y en que se comporta en correspondencia con esta creencia suya. Ahora bien: el deber que corresponde a estos derechos no siempre se dirige a aquellos a quienes está obligado, sino en primer término a sí mismo. Se siente obligado a conformar o conservar de tal modo su ser, que merced a esta conformación le sean debidos aquellos derechos. A esta forma la afecta todo el criterio de valoración que hemos visto en Nietzsche: la concentración incondicional del valor en el individuo, quien, sin embargo, no recibe su significación objetiva más que como grado del desarrollo de la humanidad.

A esta estructura del ideal de la distinción corresponde el que el rango del hombre no esté determinado por su actuación exterior, sino por su propio ser interno. Sin duda que serán valiosas las acciones del hombre valioso; pero lo importante no está en este efecto de la actividad de su ser, que por lo demás, siempre es un resultado de la combinación de éste con las circunstancias y potencias del mundo exterior, y con el cual en cierto modo sale fuera de sí mismo –Nietzsche llama a estas acciones constatables por sus resultados acciones epidérmicas–, sino el hecho de que sea una naturaleza elevada. Todo lo demás es puro accidente; el hacer puede ser uno de los *medios* de ayudar a la humanidad en su ascensión, pero no es esta ascensión misma, pues en esta ascensión no hace otra cosa sino mostrar lo que es; es decir, lo que son sus más altos ejemplares. Por eso Nietzsche se dirige contra los que combaten "el culto de los héroes", comparando para ello la "obra" de los grandes hombres con la "obra" de las masas. Aquí se comete el error de equiparar lo esencial y más valioso de "un grande hombre, con los resultados de su acción". Pero la mayor elevación de la naturaleza del grande hombre está en el *ser* de otro modo, en la distancia de rango, no en sus obras, aunque por ellas conmoviera al mundo. Aquí aparece de nuevo la oposición irreductible contra toda concepción social. La sociedad se interesa exclusivamente en lo que el individuo *hace*; su existencia sólo es importante para ella en cuanto es la garantía de que su hacer irá siempre en una dirección determinada; sin duda que cultiva lo puramente moral, la fuerza moral de la superación de sí mismo, pero sólo como profilaxis contra daños externos. Para ella el hombre sólo existe por sus efectos sociales, puesto que su principio es el de la acción de un hombre sobre otro. Lo que él sea para sí, su cualidad e interioridad como tales, se lo abandona a él, y no tiene interés en apreciar estas cualidades de otro modo que por sus consecuencias, que van de sujeto a sujeto, ni tampoco posibilidad de hacerlo de otro modo. Para Nietzsche, esta moral social no es más que un resto de la antigua teleología, desechada en principio; el hombre ya no es el fin del mundo, pero sí el fin de los otros hombres. Aun la forma más sublimada de esta moral de la actividad, la que pone todo valor en "la buena voluntad", pasa por alto al más hondo y puro ser del hombre. Concede, es verdad, que el logro o el fracaso, el éxito exterior o su impedimento por las potencias de la realidad, son indiferentes para el valor moral de la personalidad; pero este valor depende de que sean *queridos* aquellos efectos producidos por la personalidad. El alma sigue teniendo, por decirlo así, una dirección centrífuga, aun cuando el punto que da el valor a esa dirección ya no esté colocado fuera del individuo en general en el mundo social ambiente, sino de antemano y en el interior del individuo. Por tanto, si no se identifican, como Schopenhauer lo hace, el ser entero del hombre con su voluntad, a pesar de que en la conducta visible no haya diferencias, queda en pie la distinción entre dos sentimientos de valoración; según uno, el valor del individuo lo decide la mera cualidad del ser; según el otro, su manifestación en relaciones prácticas con el exterior.

Así, pues, si en frase de Schiller las naturalezas nobles cuentan con lo que son y las vulgares con lo que hacen, y por esto precisamente las cualidades del individuo, que para el interés social y para el moralismo de la voluntad son una mera incumbencia del sujeto, se elevan hasta un valor objetivo, se presenta la cuestión difícil de por dónde las cualidades individuales del hombre legitiman su valor objetivamente. La contestación de Nietzsche, antes expuesta, era que ciertas cualidades humanas estaban en el camino de la disciplina natural. La humanidad ha llegado a la altura alcanzada por la intensificación y exaltación de tales cualidades, y esto da un criterio objetivo, independiente de toda apreciación subjetiva de su valor. Pero, por tentador que esto sea, parece contener un círculo vicioso. La superación efectiva en nuestra especie no sólo ha producido belleza y pureza, grandeza de ánimo y probidad, fuerza y valor, sino también las cualidades contrarias; y la proporción en que ambas series estén no es sólo incontestable, sino que para la cuestión del valor carece de importancia. Por lo tanto, hay que elegir de antemano en la efectiva superación histórica ciertos rasgos, que luego van a ofrecernos como contenido de los valores de la humanidad, los imperativos para nuestra conducta y los criterios para nuestra valoración. Por tanto, no decide la evolución natural como una medida objetiva sobre el valor de nuestras cualidades para que pueda decidirse qué es aquello que dentro de la superación efectiva, que encierra tanto lo elevado como lo bajo, ha de considerarse superación en el sentido del valor. El concepto de la vida, al que la superación había prestado un nuevo significado, parece que puede dar de sí lo que por todas partes se busca: la posibilidad de deducir lógicamente el contenido y sentido del deber de una realidad dada y fija. La enorme dificultad de toda teoría, y de toda teoría del valor, era que dentro de lo comprobable y real (en el más amplio sentido) no podía deducirse lo necesario y moralmente valioso, y que esto parecía por tal razón abandonado al arbitrio de cada uno y a la pura convicción personal; esta consecuencia han tratado de evitarla casi todas las metafísicas, introduciendo el bien y el deber en la verdadera realidad, en la más real. Mas al parecer, el concepto de la vida, como el más amplio, cuya forma encierra todo lo que es esencial al hombre, al contarse en el hombre mismo el impulso hacia la elevación, el ennoblecimiento, la ampliación extensiva o intensiva, y de este modo, al ser el proceso de la vida un proceso dentro del cual aumentaban los valores, el ideal podía marchar a lo largo de esta línea directiva de nuestra realidad, no siempre visible acaso, pero existente siempre, como lo más íntimo del proceso. Pero además, se ha observado que la superación efectiva produce los valores negativos con la misma indiferente necesidad que los positivos, y que, visto de otra manera, no sólo ayudan a los hombres a conseguir el poder, a desarrollar todas sus posibilidades, a ampliar su vida, las cualidades nobles y elevadas, sino que la astucia y la falta de conciencia, la codicia y el materialismo práctico ganan innumerables victorias en la lucha por la vida. Por tanto, la elección de aquello que también para Nietzsche es lo más valioso en la vida real, no está ya indicada en la estructura de esta realidad, sino que sólo puede salir de un sentimiento de valoración independiente de ella. Y sólo una creencia optimista y entusiasta en la vida, tan indemostrable como el pesimismo de Schopenhauer, puede considerar como el nervio de la vida, como los factores de su superación efectiva a los valores cuya constitución brota de fuentes completamente distintas. El hecho de que Nietzsche no consiga constituir la serie de los valores cualitativos individuales reconocidos, partiendo de que el valor se constituye fundamentalmente como un resultado de la intensificación de la vida, es lo que me ha inducido a separar en la exposición su constitución general de los valores de la humanidad, según sus principios y formas, de la enumeración de los valores individuales ya determinados en su contenido.

Por tanto, la objetividad que estos valores poseen en Nietzsche no está en su origen, en su fundamentación, sino en aquel carácter antes indicado, que hace que encuentren su centro en el ideal de la distinción. Pues, según éste, la existencia de ciertos hombres y de ciertas cualidades humanas es por sí misma valiosa; su existencia es fin en sí misma, no en vista del servicio que puedan prestar a otros hombres, no por los resultados que puedan producir, ni siquiera en virtud de una ley "más elevada". Y no en sentido subjetivo, no por su propio sentimiento de la vida y por el goce que al sujeto pueda proporcionar, sino de un modo puramente objetivo; la totalidad de las cosas será tanto más llena de significación, tanto más valiosa, cuanto mayor sea el número de tales existencias que en ella se contengan. Esta esencia objetiva de los valores de distinción hace que sea indiferente el precio que haya de pagarse por la realización de sus ideales en vidas individuales, en dolores subjetivos, en sacrificios. El hombre distinguido no pregunta lo que las cosas cuestan. Por eso es tan opuesto el estilo de la vida distinguida al de la economía monetaria, en que el valor de las cosas se identifica más y más con su precio. Taine cuenta que la aristocracia del antiguo régimen, tan derrochadora, tomaba por síntoma de distinción el no conceder el menor valor al dinero. Éste es, sin duda, el mayor contraste posible con el derroche de las gentes del tanto por ciento, que parte precisamente de la creencia en el gran valor del dinero. La profunda aversión de Nietzsche contra todas las manifestaciones específicas de la economía monetaria debe ser referida a la posición fundamental entre su criterio de apreciación y el de los valores de distinción; aquélla, calculando la proporción entre el valor y el sacrificio que cuesta, y no aceptando el valor que resulta paralizado por la cuantía del esfuerzo realizado para adquirirlo; éste, completamente indiferente ante la cuestión del precio, no viendo en lo valioso más que el que lo sea, y desprendiéndolo, por tanto, de su relación con el precio. La extrema exaltación del principio de la distinción es que el valor objetivo de la humanidad está exclusivamente en sus más altos ejemplares y que no se pregunta por el dolor, la opresión y la falta de desarrollo de la masa, en cuanto que sirven de base a aquella elevación. Pues es un axioma histórico, de Nietzsche, el de que no se puede llegar al ser humano más alto y más valioso sin la disciplina y selección más severas y pasando por durezas y crueldades incontables. Y con esto –por paradójico que parezca, aunque sólo pueda resultar plausible liberando intelectualmente a la forma ética fundamental de todos los sentimientos anudados a su contenido– Nietzsche ha trasladado un sentimiento fundamental de Kant desde la moral individual a la ética de la especie. Para Kant, la moral sólo puede pensarse como la superación de los elementos inferiores, sensuales, de nuestro ser. El hombre, considerado como conjunto, en su fundamento natural y como una criatura sensual, no sólo no es "bueno", sino que la razón tiene que imponerse a cada momento en lucha contra los elementos que la atan a la tierra, y esta dominación de lo más bajo por lo más elevado sólo puede cumplirse acompañada de manifestaciones de dolor. Éste es uno de los últimos motivos que determinan la historia del alma humana; las decisivas elevaciones de nuestro ser van unidas a la condición del dolor. Kant colocó la unión en el punto extremo del sujeto: el valor de la personalidad que descansa en sí misma "sólo se da a conocer por medio de sacrificios". En cambio, Nietzsche traslada la ligazón del individuo a la humanidad. Sólo la disciplina de los grandes dolores es lo que hasta aquí "ha producido todas las elevaciones de la humanidad". Y por eso puede suprimir la identidad, evidente en apariencia, del portador de la elevación y del portador del dolor; el que haya incontables que sufren, que se ven oprimidos, que tengan que sacrificarse, crea para el individuo las condiciones que permiten que se produzca aquella fuerza, productividad y amplitud del alma, con las cuales conquista la humanidad un grado nuevo en su superación. La valoración que en Kant se verifica dentro del alma humana se ha ampliado al conjunto de la sociedad histórica, la correlación de valor y dolor ha abandonado la unidad del alma individual y se ha repartido entre una pluralidad de sujetos, comprendidos luego dentro de la unidad de la especie humana.

Esta original valoración, para la cual lo importante es la existencia objetiva de las cualidades valiosas, mientras que éstas se realizan en una forma absolutamente personal en la existencia individual del alma, que sólo se preocupa de que se alcance objetivamente una mayor altura de la escala, sin hacer depender el derecho de estos impulsos del precio que signifiquen en sacrificios o de las condiciones personales, no es sino el reflejo en otra dirección de la indiferencia antes acentuada frente a los efectos de la actividad del individuo valioso; su valor, que es el valor de un ser, es tan independiente de las condiciones bajo las cuales se produce, como de las consecuencias que de él dimanan. Para el valor del gran hombre nada importa lo que los otros obtengan de su grandeza, ni tampoco lo que él mismo, como sujeto, pueda obtener. De ahí que el personalismo de Nietzsche sea la forma de una valoración puramente objetiva y no un egoísmo o eudemonismo vulgar. El reflejo del ser en las sensaciones de placer o dolor del sujeto no tiene nada que ver con el valor de ese ser, y esto lo mismo si se trata de un sujeto ajeno o de sí mismo. Y como Nietzsche ha sido en este punto peor entendido que en ningún otro, insertaré aquí algunos pasajes decisivos: "¿Busco yo acaso la felicidad? –pregunta Zaratustra–. Lo que yo busco son mis obras. Ser libre quiere decir hacerse indiferente a la fatiga, a la dureza, a las privaciones, incluso a la vida misma; vale decir que los instintos varoniles que ansían la lucha y la victoria dominan sobre los otros, por ejemplo, sobre el instinto de la felicidad. El hombre libre desprecia el bajo bienestar con que sueñan los tenderos, los cristianos, las vacas, las mujeres, los ingleses y otros demócratas. No debe pretenderse gozar allí donde no hay goce alguno y... no debe quererse gozar". De mi profunda indiferencia hacia mí: "No quiero sacar ventaja alguna de mis conocimientos y no me arredran las desventajas que traen consigo". Así, el que quiera la *dicha* deberá acaso afiliarse entre los "pobres de espíritu". Hedonismo, pesimismo, utilitarismo, eudemonismo: todas estas formas de pensamiento que miden el valor de las cosas según el placer y dolor, es decir, según cosas secundarias, son pensamientos superficiales e ingenuidades, a las cuales todo aquel que tenga conciencia de su fuerza creadora no puede mirar sin burla y tampoco sin compasión. La lucha de la Iglesia contra la sensualidad y contra la alegría de la vida es comprensible y relativamente está justificada cuando se trata de degenerados, "cuya voluntad es tan débil que pone a los apetitos una medida". Pues "la voluptuosidad sólo es un veneno dulzón para las violetas, pero para el leoncillo es el mejor vino de los vinos". Y si enjuicia al "amor al prójimo" acaece "porque para él no es más que un amor propio mal disimulado". "Más alto que el amor a los que están cerca es el amor a los lejanos y futuros; los lejanos son los que pagan vuestro amor a los cercanos"; aquí quisiera notar yo que este amor a los lejanos no es sino mera ampliación del amor cristiano a los cercanos. No hay juez más severo que Nietzsche para todo lo anarquizante, indisciplinado, blando. Precisamente, para él toda la decadencia en que ha caído el presente se manifiesta en que ha desaparecido la severidad para consigo mismo y con los demás, la dura disciplina, el respeto y la autoridad, por obra de la manía de igualación, del impulso vulgar hacia la felicidad de todos. Sin duda que predica el egoísmo, es decir, predica que el alto, el que dirige, el distinguido se respete a sí mismo, que no destruya por blandura las cualidades que le hacen conductor y faro, que no ceda al impulso momentáneo sacrificando el valor duradero, que guarde también exteriormente la distancia interior frente a los que están más bajos que él, para no tener que descender al nivel de aquéllos y hacer así descender sus valores superiores. Pero todo esto no es capricho ni cuestión de goce. "El hombre distinguido, dice, cuenta sus privilegios y su ejercicio entre sus deberes", y por eso no piensa "en rebajar sus deberes, convirtiéndolos en deberes para con otros". De manera que el sentido de su supuesto egoísmo no es más que la conservación de los valores personales más elevados, en virtud de los cuales exige la severidad mayor hacia sí mismo y hacia los demás. Los primogénitos son siempre sacrificados. Ahora nosotros somos primogénitos. –Pero así lo quiere nuestra especie y yo amo a aquellos que no quieren conservarse. No hay duda de que predica falta de consideración, dureza y hasta crueldad. Pero las predica tan sólo porque le parecen la disciplina y la escuela únicas en las que puede renacer la fuerza del hombre, que amenaza perderse en la reducción de nuestros ideales y, en último término, también de nuestra realidad, al interés del promedio, de la generalidad. Tenéis que vivir en condiciones cada vez peores y más duras; así únicamente crece el hombre en la altura en que el rayo lo alcanza y lo destroza: "¡Altura suficiente para el rayo!". El que a esta doctrina se la haya considerado como un egoísmo frívolo, como la santificación del epicureísmo sin freno, es uno de los engaños más curiosos en la historia de la moral. Proviene este error sobre todo de que las nuevas síntesis en que Nietzsche ha reunido los momentos integrantes del valor no han sido comprendidas, y por eso en su lugar se dejan las asociaciones acostumbradas, que corresponden usualmente a los distintos elementos de esta síntesis. Nietzsche ha transformado el personalismo en un ideal objetivo y, de este modo, lo ha diferenciado radicalmente del egoísmo, que tiene fija constantemente la mirada en el sujeto. El egoísmo quiere tener algo, el personalismo quiere ser algo. De este modo se coloca más allá de la oposición entre moralismo y eudemonismo, característica de la moral kantiana. El eudemonismo pregunta: ¿Qué es lo que me da a mí el mundo? Y el moralismo: ¿Qué le doy yo al mundo? Mas para Nietzsche no se trata de un dar, sino de una cualidad del ser que, naturalmente, ha de manifestarse también en acciones, en "virtud dadivosa"; pero el valor no está en esta consecuencia y manifestación suya, el valor está en la cualidad misma, en cuanto representa una altura determinada del tipo hombre. Y quizás, al reflejarse sobre su sujeto, le llevará la felicidad; pero el valor no está tampoco en esta consecuencia sentimental del ser −en cuanto la felicidad no se considera como una ampliación, un ahondamiento, una espiritualización de la existencia−, sino en el ser mismo, que lo lleva lo mismo en sí aun cuando en nuestro sentimiento subjetivo se refleje como dolor, en vez de reflejarse como placer.

Por eso insiste constantemente Nietzsche en que la vida se hace más dura y más severa en proporción a su elevación. Nadie se indignaría más que él contra la interpretación del concepto del superhombre, que aprovecha la liberación de la moral altruístico-democrática del miramiento, para proclamar el derecho al placer libertino, en vez de aprovecharla para cumplir el deber de alcanzar el grado superior en el desarrollo objetivo de la humanidad; teniendo presente este deber, el eudemonismo subjetivo mal disimulado de los "nietzscheanos" se aparece como la vuelta a los grados inferiores, a la blandura del pesimismo, a lo estéril −pues con el dolor y el placer como estados subjetivos la vida se encuentra constantemente en un atolladero−; en una palabra, se muestra como aquella decadencia de la vida, que no ha hecho aquí más que cambiar de objeto, que en vez de aplicarse a los más bajos elementos de la sociedad se aplica a los del sujeto mismo.

Con la particularidad del ideal nietzscheano está unido como una de sus partes integrantes esenciales el ideal de la responsabilidad. Toda buena aristocracia deja de ser una mera gozadora de sus prerrogativas por la conciencia de ser responsable; responsable no frente a otros hombres, no frente a una ley exterior, sino ante sí misma. Esta responsabilidad, que brota del ideal de la propia esencia, ha sido aclarada por Nietzsche con la introducción del concepto de humanidad, cuya altura es idéntica a la altura de sus más elevados ejemplares. No se crea que aquí piensa Nietzsche como ideal en la actual aristocracia, en la cual le parece "todo falso y podrido". Este sentimiento de responsabilidad, que tiene que ser patrimonio de la moral de la distinción, me parece ser el último motivo de la más original de sus teorías: la teoría del eterno retorno. Si el proceso del mundo –enseña– se desarrolla en un tiempo infinito, y en una masa finita de fuerzas y materia, todas las combinaciones que con estos elementos puedan hacerse habrán de agotarse en un tiempo finito más o menos largo. Y entonces tendrá que empezar de nuevo el juego, y conforme a la ley de la causalidad se repetirán en el mismo orden exactamente las mismas combinaciones, y así sucesivamente al infinito; por donde habida cuenta de la continuidad del proceso del mundo, cada uno de sus momentos puede ser considerado como un momento en que coinciden un período del mundo que acaba y uno que se inaugura. Así, el contenido de cada momento, cada hombre y todo lo que con él vive, ha existido ya incontables veces y retornará incontables veces en la misma repetición. Un pasaje de la época de la aparición de esta doctrina nos revela su sentido auténtico: "¿Qué ocurriría si un día un demonio se deslizase hasta ti en tu soledad y te dijese: 'Esta vida, tal como tú la vives y la has vivido hasta aquí, habrás de vivirla todavía otra vez y veces incontables; y en esa vida nada habrá que sea nuevo, sino que todo lo pequeño y lo grande de tu vida actual retornará, y todo en la misma sucesión. El eterno reloj de arena de la existencia vuelve siempre a comenzar de nuevo, y tú con él, polvillo de polvo. Si un tal pensamiento adquiriese dominio sobre ti, te transformaría, y quizás te destrozaría; la pregunta ¿quieres esto otra vez y lo quieres incontables veces aún? pesaría constantemente sobre ti y sobre tu conducta. ¿O cómo habrías de comportarte contigo mismo y con la vida, para no demandar otra cosa que esta eterna confirmación?'".

La repetición infinita de nuestras acciones es el criterio en el que, según él, adquirimos conciencia de su valor o de su carencia de él. Lo que parece poco esencial como acción limitada al momento, y puede fácilmente ser expulsado de la conciencia pensando que ¡lo pasado, pasado!, adquiere un enorme peso, un acento que obliga a escuchar cuando frente a él está un incesante "otra vez" y "otra vez". El retorno eterno significa que toda existencia es eterna. Pues si se repite un número infinito de veces, es su duración la misma que si continuase eternamente. Nos aparecemos como responsables de un modo completamente distinto, porque ningún momento de la vida termina en sí mismo, sino que nosotros y la humanidad habremos de vernos innumerables veces ante él en la misma figura que nosotros ahora le demos.

Esto nos pone de nuevo en presencia de un principio de Kant, trasladado a otras dimensiones. La piedra de toque para la moralidad de una acción está, para Kant, en que el que obra pudiera querer el principio por el que dirige su acción como una ley general absolutamente válida. En la tentación a robar y mentir, de ser duro contra los débiles, de dejar sin desarrollar las fuerzas de la propia personalidad, puedo afirmar la inmoralidad de tales acciones, porque no puedo querer un mundo en el que tales máximas señoreasen como leyes naturales. Si esto ocurriera, las contradicciones interiores lo aniquilarían, y el que obra precisamente desde el punto de vista del interés egoísta que lo impulsa en su acción, no puede querer que se obre por todos, y por tanto también contra él, de esa manera. Sin duda que la acción no cambia en su esencia interior por la recapitulación incesante, pero como bajo la acción de un cristal de aumento, se perciben en ella detalles que se escapaban a la mirada al no ser más que una vez. Éste era precisamente el sentido práctico de la norma kantiana. La ampliación de nuestra conducta personal a una ley general no le da, sin duda, significación real nueva que no pudiera verse también al no ser ejercida más que una vez. Sólo que, tal como está la estructura de nuestra observación espiritual, al juicio del hecho aislado le falta a menudo la penetración suficiente, porque sus consecuencias se confunden en las múltiples corrientes de la vida de la comunidad, que aumentando o desviando su efecto nos lo hacen incognoscible; la vida propia del acto comienza cuando se ha abrazado todo su medio práctico, cuando sus consecuencias no están veladas por las de otro acto; en una palabra, cuando su principio, en vez de ser un caso aislado y casual en un caos de otras individualidades casuales también, es una norma sin excepción, una "ley general". Kant extiende el acto en la dimensión de la anchura, en la repetición infinita, en la convivencia de la sociedad, mientras que Nietzsche lo extiende a lo largo, haciendo que se repita en una sucesión ilimitada en los individuos; a consecuencia de esto, Kant pone lo esencial en las consecuencias del acto, y Nietzsche en el ser del sujeto que en él se expresa inmediatamente. Pero ambas multiplicaciones del acto sirven al mismo fin; sacarlo del imperio de la casualidad, bajo el que lo coloca su expresión en el sólo ahora, sólo aquí. El valor interno de la acción, que en sí está más allá del tiempo y del número, del dónde y del con qué frecuencia, para nosotros, que estamos ligados a esas categorías, tiene que ser por lo menos representado en un tiempo y un número infinitos, a fin de que dé su peso verdadero.

En la continuación fichteana de esta fórmula de Kant, se acerca ya al desplazamiento en la forma del tiempo realizado en la teoría del eterno retorno. El yo empírico, dice Fichte, debe estar animado de tal modo como si estuviera frente a la eternidad. Por eso expresaría el principio fundamental de la teoría de la moral en la siguiente forma: "Obra de modo que puedas pensar como ley eterna para ti la máxima de tu voluntad". Al aparecer el criterio de valor extendido en el tiempo, en vez de extenderse en las series de la vida social, adquiere, como en Nietzsche, su raíz en el individuo considerado en sí mismo; la duración decide sobre el valor por cuya realización o no realizaciones somos responsables, en vez de su multiplicación en otros.

Pero si la doctrina del eterno retorno no tuviera más significación que la de hacer visible o expresar la infinita responsabilidad del hombre por su obra, no existiría la cuestión de su verdad objetiva; sería un símbolo y una piedra de toque, que ejercería su función como pensamiento y no como realidad. Pero como Nietzsche no se conforma con esto, sino que afirma la realidad del eterno retorno, no deben pasarse por alto las dificultades de esta afirmación. Aunque se concediese que el proceso del mundo se desarrolla en un tiempo infinito entre elementos finitos, con eso no se habría demostrado que la configuración tomada por estos elementos hubiera de repetirse; sin duda que esto puede ocurrir, pero también puede pensarse una combinación tal de los elementos del mundo que excluya esta posibilidad. Pero aun dejando aparte estos reparos, la realidad del eterno retorno de lo mismo no añadiría nada a su valor como regulador ético. El profundo respeto y la profunda devoción con que Nietzsche habla de él sólo se explica, a mi juicio, por no haberlo puesto en exacta correlación con su propia concepción lógica. Porque si se profundiza en él, desaparece plenamente su interior significado, ya que la repetición inmediata o la número tantos de lo mismo no permiten hacer ninguna *síntesis* suya. Si se repite un acontecimiento de mi existencia, esta repetición, como tal puede tener para mí un enorme significado, pero sólo en el caso de que yo me acuerde aún del primero, y si el segundo se encuentra con un estado o conciencia míos modificados por el primero. Pero si se supone el caso –empíricamente imposible– de que este segundo me encontrase en el mismo estado que el primero, mi reacción sería también la misma que ante el primero, y no podría tener la menor significación para mí el hecho de que sea una repetición. Una significación tal sólo puede tenerla el que permanezca un yo, para el cual la segunda aparición de un mismo acontecimiento tenga, precisamente porque el primero ha existido ya, un sentido y consecuencia distintos que éste. Y lo mismo ocurre con el retorno de la existencia entera. Su segunda vez sólo tendría una significación distinta de la de la primera, en el caso de que el mismo yo viviera en ambas; pero en realidad, no soy yo el que retorna, sino algo que coincide conmigo en todas las propiedades y actos. Si en este segundo hubiera algo real, cualitativo, que hiciera referencia al primero, y que debiera a la circunstancia de ser el posterior, no sería ya la repetición exacta del primero, sino que se diferenciaría precisamente por eso de él. Creo que Nietzsche no ha precisado lo bastante el concepto del yo, y se ha dejado arrastrar a ver en la repetición de los mismos fenómenos una resurrección del yo, por decirlo así, dando de esta manera al segundo yo, o a los yoes posteriores –que no son el mismo yo, sino un yo cualitativamente homogéneo–, una significación no contenida en el primero (con lo cual, por otra parte, desaparecería el supuesto retorno de lo mismo), y cuya ausencia presta ya al primero una significación distinta. Si existiesen en el espacio infinito muchos mundos absolutamente iguales entre sí, pero desconocidos los unos para los otros, el contenido de mi yo se repetiría ciertamente en cada uno de ellos, y a pesar de eso no podría decir que yo vivía en cada uno de esos mundos. Y sin duda que la misma relación existente entre estas personas absolutamente iguales que coinciden en el espacio, existiría entre aquellas que viven sucesivamente y de las que habla la doctrina del eterno retorno. El retorno de lo mismo sólo significa algo para un espectador reflexivo que reúne en su conciencia la pluralidad de las repeticiones; en su realidad, para los que viven no significa nada. Sólo su pensamiento tiene una importancia ético-psicológica, y como este pensamiento se ha pensado en los momentos correspondientes en cada uno de los venideros, la realidad de estas repeticiones nada puede añadir a lo que cada uno de ellos posee ya en este mero pensamiento.

En cambio, me parece inexacto que exista contradicción, como se pretende, entre la idea del eterno retorno y la del superhombre. El superhombre, lo mismo que el eterno retorno, no es en su propio sentido más que un regulador y piedra de toque de nuestra existencia. El superhombre no es más que la cristalización del pensamiento de que el hombre puede y debe elevarse sobre el estadio actual de la evolución. ¿Por qué habría de detenerse el hombre en el camino que lo ha conducido desde la forma animal hasta la humanidad? De la misma manera que su forma actual está sobre la del animal, lo estará sobre la del hombre su forma futura. El superhombre es un problema que progresa en su solución con el progreso mismo de la humanidad, y, sobre la solución que un presente determinado ha dado a este problema, se eleva inmediatamente la nueva, que corresponde al ideal del presente alcanzado. Por tanto, siendo el hombre un ser sujeto a la superación, el problema que en el concepto del superhombre se expresa no puede resolverse nunca definitivamente, sino que acompaña la marcha de la humanidad como una exigencia no satisfecha al cumplirse, y como la expresión de que el hombre en todos los momentos de su existencia empírica, aun el más elevado que pudiera pensarse, no es sino una transición y un puente. Esto sólo parecería una contradicción, en cuanto la infinitud de este problema no se compaginaría con la finitud de los períodos del mundo; dentro de éstos, la humanidad no puede tomar más que un número determinado de formas de evolución, y éstas se doblan en círculos por su repetición uniforme, al paso que el ideal del superhombre exige una línea de superación corriendo hacia lo infinito. Pero en realidad, esta necesidad no existe si no se considera al superhombre como algo inmutable fijado de una vez para siempre, sino como un ideal funcional, como la forma más alta que sobre las existentes puede alcanzar en cada momento la humanidad. A tal efecto, carece de importancia el que la humanidad no pueda ir más allá de la medida alcanzada en cada una de aquellas configuraciones del mundo. Sea la medida la que quiera, alta o baja, capaz de elevación o no, el ideal está siempre por encima de cualquier momento, independiente en su validez de todas aquellas determinaciones de la realidad. Si para formularlo empleáramos una categoría de Kant, diríamos: En cada momento, aparezca como aparezca en la realidad, debemos vivir como si quisiésemos elevarnos a lo que en el plano del ideal está por encima de esta momentánea realidad; debemos vivir como si viviéramos eternamente, es decir, como si existiera un eterno retorno.

El valor real, muy dudoso, del pensamiento del eterno retorno está entre dos significaciones esenciales, que al propio tiempo lo anulan entre sí: la significación que tiene como regulador ético, ya mencionada, y su significación metafísica. Con este pensamiento, Nietzsche ha reunido de una manera original dos anhelos espirituales fundamentales opuestos: el anhelo de lo finito, de lo concretamente limitado, de la determinación de forma de lo dado, y el anhelo de lo infinito, de lo que pasa por encima de toda limitación, el anhelo que quiere perderse en lo indefinido. En la esfera de la lógica, pueden contradecirse y hacerse imposibles recíprocamente ambos anhelos. Pero en la realidad psicológica se encuentran juntos, coincidiendo y excluyéndose, y esta unión peculiar se refleja pasando por encima de la lógica en las creaciones de la metafísica. En ellas las representaciones se combinan de tal modo, que la cuestión de la verdad, en sentido lógico, no puede aplicárseles, frente a la individualidad de los fenómenos se coloca a una tal distancia y altura abstracta que aquellos pierden los contornos bien determinados con que cuentan la práctica, la lógica, las ciencias particulares, y, por lo tanto, la metafísica tiene objetos completamente distintos: estos otros aspectos de los mismos objetos de aquellas formas de consideración. Así, el arte cuenta en el mismo sentido que la ciencia y la conducta. Así, la metafísica tiene exigencias y normas peculiares, de las cuales no puede pedirse lógicamente que satisfagan a las condiciones del resto de la lógica científica. La "unidad" de los elementos varios que la metafísica realiza no se decide según estas condiciones, sino que, con mucha frecuencia, no es más que la objetivación o la expresión conceptual de la unidad espiritual en que se funde en nosotros la variedad de elementos lógicamente distintos. De esta manera, la idea de eterno retorno de lo mismo es la síntesis del anhelo de infinitud y el anhelo de limitación. Enseña que contenidos finitos, manifestaciones determinadas según número y figura, toman la forma de una y otra vez, de una sucesión indeterminada. Y esto no por una coincidencia casual de determinaciones; la misma casualidad que produce y forma los hechos finitos concretos es la que hace agotarse las combinaciones de sus elementos, hasta que vuelven a repetirse en la misma forma. Por eso su símbolo más exacto es el círculo, cuya extensión es limitada. En los papeles póstumos de Nietzsche se encuentra esta nota lapidaria: "El que todo vuelva es la aproximación extrema del mundo del devenir al ser: suprema contemplación". De esta manera queda confirmada, desde los más altos grados de la metafísica, mi explicación de la teoría del retorno como síntesis del anhelo hacia la limitación y del anhelo hacia lo infinito. La historia de la metafísica es la historia de la contienda entre el ser y el devenir, ya desde los tiempos de Heráclito y de los eléatas; toda la filosofía griega no hace sino afanarse en reunir en una imagen unitaria, libre de contradicción por parte de la realidad, la firmeza y sustantibidad sustancial del ser, en cuyo concepto encuentra el alma su tranquilidad y lo definitivo del mundo y de sí misma, con el fluir y cambiar, con la variedad y la vida que encuentra también en sí misma y en el mundo. El ser y el devenir forman la expresión más general, comprensiva y formal del dualismo fundamental, que es el esquema de todo ser humano, y todos los grandes filósofos buscan una nueva relación entre ambos, que los reconcilie o que dé el predominio a uno de ellos.

Nietzsche impone también al eterno retorno esta misión, y en él se verifica por ambos lados una aproximación gradual de las categorías. Por una parte, los acontecimientos singulares y limitados son un devenir ininterrumpido, un fluir sin descanso, y toda su sustancialidad se diluye en la corriente de Heráclito; pero como estos acontecimientos retornan al infinito, adquieren un ser en cada punto singular, se convierten en un punto firme, al cual vuelve indefinidamente aquella corriente del devenir. Así, lo finito reviste la forma de lo infinito y con esto el devenir reviste la del ser; y ahora, visto desde el otro aspecto, el ser aparece dentro de la teoría del eterno retorno como lo finito, de forma determinada, concreto, y sólo la causalidad del devenir le proporciona la infinitud. Lo que somos es limitado en cada momento; nuestra conducta real es perfectamente visible; nuestro anhelo de determinación se sacia en el contenido efectivo de nuestra existencia. Pero en cuanto estos contenidos del ser están sometidos a la ley de la causalidad y ésta conduce al agotamiento de todas sus combinaciones y con ello a la repetición indefinida de lo mismo, la finitud del ser se transforma en la infinitud del devenir, el anhelo del infinito, de lo que está por encima de número y medida, bebe hasta saciarse en la corriente del devenir. Sin duda que lo que permite esta variedad de combinaciones entre el ser y el devenir, es lo extensible y poco preciso de estos conceptos. Pero, de que los conceptos sean así es de lo que vive la metafísica, y lo que importa es señalar la extensión de las relaciones que la idea del retorno de lo mismo pone entre ellos. El que el mismo ser limitado y finito se repita con frecuencia infinita, el que por la causalidad, que hace aparecer y sumergirse a la manifestación singular en el flujo incesante del devenir, se haga que esa misma manifestación se repita y le da con ello la firmeza y eternidad del ser, que no poseería al no presentarse más que una vez, es lo que hace que el eterno retorno se convierta en una síntesis o, como dice Nietzsche, en una "aproximación" entre el ser y el devenir. Lo cual se expresa en la doble relación entre los conceptos: por una parte, la finitud del ser se convierte en la infinitud del devenir, y por otra parte, la finitud del devenir se convierte en la infinitud del ser. Es indiferente el punto desde el que se trace la línea de unión establecida por aquella idea entre los dos polos metafísicos. Y si ahora se considera la explicación aquí dada de la teoría del eterno retorno de lo mismo, teniendo en cuenta aquel punto de partida común a la teoría de Schopenhauer y a la de Nietzsche, y más allá del cual comienza la divergencia entre ambos: la negación de un fin último general de la vida, se descubrirá la profunda significación de aquella doctrina, y al mismo tiempo acaso la razón –que si no, no es fácil de hallar– de que Nietzsche la considere como incondicionada y central para su pensamiento entero. En el lugar del fin último pone Nietzsche la superación con sus fines objetivos relativos; en el lugar de una altura absoluta, hacia la cual tiende el proceso del mundo, la altura relativa de cada grado futuro de la superación sobre el actual. Pero este proceso está sometido a la inquietud de lo ilimitado, a la inseguridad que da el no poder abarcarlo por entero. Y el eterno retorno le proporciona a Nietzsche, por la limitación de los particulares períodos del mundo, sobre los cuales la exaltación al infinito de los valores sólo está corno una exigencia y como una "idea reguladora", toda la amplitud y contorno que es compatible en la existencia con la desaparición de su fin absoluto. La infinitud del camino ahora demandada pasa a través de aquellos pensamientos de trozos finitos, el devenir indefinido gana forma y fijeza de límites por la determinación, según número y género de las combinaciones que forman su contenido. El pensamiento de que la vida retorna al infinito de un modo invariable, que para la mayoría de los hombres es un terror y un espanto, puede ser para él un consuelo y un punto de reposo; pues el impulso incesante de su naturaleza, que coincidía con aquella negación de fines para el mundo, había tomado así, por lo menos, la determinación de forma y la limitación del círculo.

De todas las teorías de Nietzsche, la que posee una mayor significación metafísica es la del retorno eterno de lo mismo, aun cuando también se muestre en ella la intención moral fundamental de Nietzsche, por su sentido como expresión de la enorme responsabilidad del hombre, cuya actividad toma una forma eterna por su repetición constante. A pesar de que él se califique a sí mismo de inmoralista, su pensamiento está orientado infinitamente más hacia la ética que el de Schopenhauer, no obstante que éste designa siempre a la ética como el valor propio de la vida y como el sentido de todo ser. Ahora, que la moral de Nietzsche es, por decirlo así, una moral desde abajo; le falta la cúspide metafísica que hace a Platón y Spinoza, Kant y Schopenhauer introducir el ser trascendente en los movimientos de la voluntad de los hombres.

El ideal de la distinción, a cuyo servicio entra también, por medio del motivo de la responsabilidad, el retorno de lo mismo, es de naturaleza terrena y empírica, en cuanto constituye el remate de una superación que arranca de lo más profundo, y que carece de la consagración de todos los valores y legitimaciones que vienen de arriba abajo. Quizás sea éste el fundamento por el cual, en la teoría corriente del valor y en la filosofía práctica, no se reconoce la distinción como un valor peculiar del alma; es uno de los méritos de Nietzsche el haber enseñado la peculiaridad de este ideal, no de un modo abstracto y sistemático, pero sí en indicaciones amplias e indubitables. De hecho no puede comprenderse dentro de las categorías de valor tradicionales, por más que por una parte mantenga contacto con los éticos y por otra con los estéticos. Pero que no se confunde con ninguno de ellos, lo prueba la falta en él de aquel subido tono metafísico que resuena en lo bello y en lo moral. Puede limitarse la moralidad todo lo naturalista y empíricamente que se quiera; siempre resultará que el pensamiento profundo, al pretender explicarla, llegará a un límite, más allá del cual, verificándose a veces de un modo imperceptible el tránsito, está el reino de la mística o de la religión, el de la metafísica o el del no menos metafísico escepticismo; y de modo análogo, la interpretación del goce estético llega, partiendo de otro origen y en la misma dirección, en su raíz o en su cima, a las mismas esferas. Merced a su falta de relación con todo lo trascendente, carece el ideal de la distinción –no quizás sus portadores, pero sí su contenido objetivo– de verdadera profundidad. La inconmensurable significación interior y ahondamiento del hombre que se observa en los cuadros de Rembrandt o en las novelas de Dostoiewski no impide que, a pesar de la cantidad de valores humanos que en ellos están reunidos, carezcan del rasgo de la distinción, porque su sentido sale de alguna manera de lo trascendente o se refiere a él. La esencia de la distinción es –y por eso constituye el remate de la teoría de los valores de Nietzsche– la exclusión de la mayoría, la resistencia a hacerse vulgar, el rechazar toda comparación; por eso no le importa el cuánto, como tampoco le importa a la representación nietzscheana de los valores humanos, sino únicamente que la superación de la existencia haya llegado hasta él; el ser por sí solo pleno representante de su significación es lo que le presta al ser distinguido su naturaleza específica. Pero con eso no se borra su carácter, por decirlo así, biológico; no pasa de ser, como la aristocracia en el sentido histórico-social, un producto de cultivo que queda en la esfera de la realidad. El que la moral de Nietzsche culmine en la distinción responde muy bien al modo apasionado en que desea liberar de todo lo trascendente a la moral. La elevación ilimitada sobre todas las cualidades de valor empíricamente dadas que él demanda se encuentra equilibrada, porque esa elevación no puede producirse más que en el terreno de lo histórico-empírico, y porque su infinitud no puede abandonar esta esfera.

Se ha notado con frecuencia que la doctrina de Nietzsche constituye la oposición más acentuada contra su personalidad. Este llamamiento rudo y guerrero, y este acento dionisíaco, salen de una naturaleza de una extremada sensibilidad vuelta quietamente hacia sí misma, dulce y amable. Sin duda que esto nada prueba contra su seriedad, puesto que innumerables veces el filósofo ofrece en su doctrina su reverso: lo que le falta para completar la plenitud del hombre, lo que es otra cosa que él, y lo que constituye su ansia no conseguida. Pero la distinción es el punto en el que se han encontrado el ideal que Nietzsche enseña y la realidad de su naturaleza, que es al propio tiempo la cumbre de su ser personal, desde la cual alzó el vuelo hacia el reino de los deseos para la humanidad.

Este carácter absolutamente terrenal de su ideal –por olvidar lo cual se ha interpretado falsamente el "superhombre"– descansa en un fundamento muy hondo, de donde toma la teoría de Nietzsche su relación de contradicción con la de Schopenhauer sobre la valoración última, indiscutible, dogmática, de la "vida". El hecho del proceso de la vida en general, esa forma misteriosa que han adoptado los elementos del mundo, ha producido en Nietzsche un poderoso efecto exaltador. El que hubiera un imperativo que se dirigiese contra la vida, le parece absurdo y contradictorio en sí, porque un juicio de la vida no puede ser más que el síntoma de una determinada manera de vida, y el derecho para hacerlo sólo podría venir de algo que estuviese colocado fuera de la vida misma. Pero la vida es el fenómeno empírico, histórico, por antonomasia. Es posible que los frutos enigmáticos que cultiva, que el alma y sus contenidos particulares, lleven su significación hasta más allá de las fronteras terrenales; pero la vida como tal está presa dentro de ellas, es hija de la tierra, y el ideal de la distinción no es sino la más refinada sublimación a la que la vida en su forma como superación, como selección, puede llegar. Nietzsche, para quien la vida es el valor por excelencia, ha consagrado su amor con seguro instinto al ideal de la distinción, que es el único de entre los elementos del alma que no la fuerza a ir o al menos a mirar en el reino de lo trascendente. Por esto toda su doctrina descansa en el imperativo dogmático: ¡Debe ser la vida! Por eso Nietzsche ve al fin en Schopenhauer su adversario filosófico, a quien no puede vencer, porque precisamente niega aquel imperativo, colocando en su lugar el contrario: ¡La vida no debe ser! Al ver cómo parte siempre, al combatir a Schopenhauer, de la base para él evidente de que la vida es y debe ser valiosa, y cree haberlo refutado con declarar que el pesimismo destruye la vida, puede acaso decirse que no ha entendido a Schopenhauer en toda su profundidad metafísica. Pues el hecho de que, como consecuencia de su teoría, queda negada la vida, que es de lo que Nietzsche se sirve para condenarla, para Schopenhauer constituye la demostración de su verdad.

Pero el que cesase aquí la comprensión lógica, el que Nietzsche no viese que quería refutar a Schopenhauer basándose en un supuesto dogmático de valoración negado precisamente por éste, pone de relieve una contradicción del *ser* de ambos pensadores, sobre la que el entendimiento no podía trazar puente alguno, del mismo modo que por mucho que se ande por una llanura nunca se podrá llegar a un punto que esté colocado en una llanura paralela a la primera. Tratar de buscar un acomodo entre estos adversarios es más bien malo que inútil, como acontece en toda empresa vana, porque así se falsea el sentido de su contradicción, y con ello el sentido propio de ambos. La convicción de la carencia de valor de la vida, que en la variedad de sus manifestaciones sólo tiene ojos para la monotonía, para el predominio del sufrimiento, para la inutilidad de nuestros esfuerzos, y, por otra parte, la convicción del valor de la vida, para la cual toda carencia es el antecedente de una posesión, toda monotonía el juego de infinitos movimientos de vida, todo dolor indiferente en comparación del valor ascendente del ser y de la conducta; estas dos convicciones no son saber teórico, sino expresión de una estructura fundamental del alma, y no cabe conciliarlas en una "unidad superior", por lo mismo que un ser no puede ser idéntico a otro. El valor de lo que podría llamarse su síntesis consiste precisamente en que la humanidad haya podido llegar a sentimientos tan distintos de la vida. Por eso, si ha de haber una unidad de ambos, debe buscarse en otro sitio que en su contenido objetivo: en el sujeto en que ambos se dan. Al sentir en la distancia entre estas oposiciones la exaltación de la vida, se amplía el alma –aunque no se siente dogmáticamente inclinada a ninguno de los dos partidos– hasta poder abrazar y gozar la desesperación de la vida y el júbilo de la vida como los polos de su propia amplitud, de su fuerza, de la riqueza de sus formas.